# LOU ARCHER

*1. Le Cheval des Tempêtes*

CHRISTIAN DE MONTELLA

1. Le Cheval des Tempêtes

HACHETTE

*Audaces fortuna juvat.*

À mes fils
Et à Véronique Girard et Jacqueline Cohen

# Première époque

## Le secret de Louis Marion Archer

# 1.
# OÙ LA ROSE REVIENT AU PORT

*Londres, le 12 septembre 1759*

— Ann ! Ann ! Venez ! Ann !

On frappait à la vitre. Ann Archer reconnut Bill O'Hara, le cordonnier, qui tenait la boutique en face de chez elle. Elle se leva avec difficulté de son siège, les deux mains posées délicatement sur son ventre. Ann Archer était enceinte de huit mois et demi. Elle avait mal aux reins, et se mit machinalement à les masser en s'approchant des carreaux derrière lesquels la trogne édentée du cordonnier lui criait :

— Ann ! Ann ! Venez vite ! La *Rose* est de retour !

Elle ouvrit vivement la fenêtre.

— Vous êtes sûr, Bill ? Vraiment sûr ?

Le cordonnier éclata de rire.

— Mais oui, p'tite dame ! Votre mari arrive juste à temps pour voir naître son fils !

Ann Archer oublia le poids de son ventre et la douleur de ses reins et se précipita dans la ruelle. Elle était si joyeuse qu'elle prit les joues mal rasées du cordonnier entre ses mains et lui plaqua une bise sonore sur le front. Il devint rouge de confusion.

— Merci, merci, merci ! Merci, mon Dieu ! s'exclama-t-elle.

Et elle partit à petits pas pressés mais pesants.

Bill O'Hara la rattrapa.

— Montez dans ma charrette, p'tite dame. Je crois que ça vaudra mieux dans votre état.

Ann ne se fit pas prier pour s'installer dans l'engin à deux roues, qui ressemblait davantage à une brouette qu'à une charrette et que, d'ailleurs, le vieux Bill se mit à tirer lui-même, la sangle passée sur son épaule.

— Alors, ce gamin pointera son museau quand ? Et ce sera un fils, bien sûr ?

Ann, brinquebalée dans la charrette à bras, posa les mains sur son ventre énorme.

— Bien sûr, ce sera un fils ! Le plus beau garçon de Londres !

Quand ils arrivèrent, le trois-mâts *Rose* venait de s'amarrer. On sortait la passerelle. Une foule d'une centaine de personnes s'était regroupée sur le quai, sous une pluie fine et tiède de septembre : femmes, enfants, parents et amis de l'équipage, parti huit mois plus tôt pour la côte occidentale de l'Afrique.

C'était à chaque débarquement la même intensité de joie et d'angoisse. Joie à l'idée de retrouver celui qui avait été absent si longtemps, angoisse d'apprendre peut-être qu'il n'était pas revenu.

Ann, quant à elle, n'éprouvait ni angoisse ni joie. Simplement une paisible certitude : Louis Marion Archer, son mari, allait apparaître sur la passerelle, et ils tomberaient dans les bras l'un de l'autre ; il s'extasierait sur la taille de son ventre, et il y poscrait les mains, heureux de cet enfant à naître qu'ils avaient tant espéré.

Ann descendit de la charrette à bras et commença à sc frayer un passage dans l'attroupement. Les matelots, leur sac sur l'épaule, apparaissaient l'un après l'autre au sommet de la passerelle. Quand ils reconnaissaient un parent, un proche, ils agitaient la main, lançaient un cri ou une plaisanterie, hâtaient le pas, tombaient dans les bras de leur mère, leur femme, leur frère. Ann protégeait son ventre de ses deux mains à plat et, tout en se poussant de l'épaule parmi la foule, elle tendait le cou, les yeux fixés sur le pont du navire.

Quand elle parvint enfin au premier rang, la plupart des hommes d'équipage étaient descendus à terre. Autour d'elle, on s'embrassait, on riait, on échangeait des nouvelles. Les yeux brillaient, les mots claquaient d'une voix forte, pleine du plaisir et du soulagement de se retrouver. Peu à peu, les gens s'éparpillaient par petits groupes, s'éloignant sur le quai. Ann se retrouva bientôt la seule à attendre. Son cœur battait de plus en plus vite.

Elle aperçut alors, s'engageant sur la passerelle, John Bradley, le quartier-maître. Elle s'avança résolument à sa rencontre. Quand il la vit à son tour, il eut un instant d'hésitation et détourna les yeux. Immédiatement, elle fut prise d'une peur atroce.

— Monsieur Bradley ! Où est Louis ?

Le quartier-maître se mordilla nerveusement les lèvres. Tête basse, il fit les quelques pas qui le séparaient d'Ann.

— Où est Louis ? répéta-t-elle, la voix soudain brisée.

Il se frotta la barbe pour cacher son trouble. Puis il mit doucement sa grosse patte de marin sur l'épaule d'Ann.

— Ton mari ne rentrera pas.

— Pourquoi ? Où est-il ?

— Louis s'est… s'est noyé. Pendant une tempête, au large, il y a dix jours.

Les yeux écarquillés, elle le dévisagea avec stupeur.

— Non ! s'écria-t-elle.

Elle se mit à secouer frénétiquement la tête.

— Non ! Non ! Non !

Et, avant que le quartier-maître John Bradley ait pu la retenir, elle s'effondra, inconsciente, sur la pierre du quai.

## 2.
# OÙ NAÎT L'ENFANT

Ann Archer accoucha deux semaines plus tard.

Le chagrin l'avait beaucoup affaiblie. Les premiers jours qui avaient suivi la nouvelle de la mort de Louis, elle avait songé plusieurs fois à se tuer ou, simplement, à se laisser mourir. Il lui semblait avoir perdu, avec son mari, toute raison de vivre.

Elle l'avait épousé à peine un an plus tôt. Ils n'avaient vécu que quelques semaines ensemble avant qu'il s'embarque sur la *Rose*. Elle n'avait pu supporter le déchirement de son départ que parce qu'elle se savait enceinte et qu'il lui avait dit, avant de monter sur le navire :

— Tu verras, tu vas nous faire un beau garçon et,

quand je serai de retour, ce seront deux hommes que tu auras à aimer.

Seul le souvenir obsédant de cette phrase – la dernière que Louis avait prononcée avant de lui piquer un baiser sur les lèvres et de s'éloigner sur la passerelle – lui donna le courage de continuer à vivre. Oui, vivre, vivre, elle devait vivre pour mettre au monde leur enfant, leur garçon, l'élever, le choyer et le voir grandir et ressembler chaque jour un peu plus à son père. Louis n'était pas mort puisqu'il était là, donnant des coups de pied dans son ventre – près de renaître.

Mrs. Boyle, la sage-femme qui vint l'assister quand arrivèrent les premières douleurs, la trouva très pâle et très amaigrie. Dans son visage aux joues creuses, on ne voyait plus que l'éclat fiévreux, intense, égaré de ses grands yeux bleus. Inquiète, Mrs. Boyle voulut appeler un médecin. Mais Ann refusa.

— Tout se passera bien, dit-elle. Il veut venir au monde, je le sais, il *veut* naître.


En effet, l'accouchement se passa assez vite et sans complication. Le bébé était solide. À peine soulevé à l'air libre par la sage-femme, il poussa des cris d'une belle vitalité.

Livide, les joues marbrées, les yeux cernés, Ann regarda Mrs. Boyle laver l'enfant dans une bassine d'eau chaude, puis l'envelopper dans ses langes. Elle fit l'effort, malgré l'épuisement, de lui tendre les bras.

— Donnez-le-moi, murmura-t-elle. Donnez-moi mon fils.

La sage-femme, avec un large sourire, lui présenta le bébé.

— Ah ! s'exclama-t-elle, il est bien vigoureux, ce p'tit bout ! Mais, jeune dame, il vaudrait mieux vous y faire…

— À quoi ?

— C'est pas un gars, c'est une fille !

Le visage d'Ann se contracta, son regard se figea.

— Une fille ? ...

Elle ferma les poings et, refusant de prendre l'enfant, les serra douloureusement contre sa poitrine.

— Je ne veux pas…

— Vous ne voulez pas quoi ? demanda Mrs. Boyle, déconcertée.

— Je ne veux pas d'une fille…

— Allons, jeune dame, enfin… Soyez raisonnable.

Ann baissa les paupières comme si elle ne voulait plus rien voir. Elle articula d'une voix tremblante, résolue – « démente », pensa Mrs. Boyle :

— Je-ne-veux-pas-de-fille. Je veux Louis ! Je-ne-veux-pas-de-fille ! Je veux Louis !

# 3.
# OÙ MRS. ARCHER CHOISIT UN NOM

Quinze jours plus tard, le brouillard était dense quand Ann descendit du coche qui la déposa à Hartfield. À la taverne de la place, elle demanda son chemin à la servante.

— La maison de Mrs. Archer ? fit celle-ci. C'est à deux rues de là, dans Grosvenor Lane. Après l'échoppe du boucher.

Ann, la remerciant à peine, allait s'éloigner quand la servante tendit la main en souriant vers le bébé qu'elle portait dans ses bras. Il était emmitouflé dans une couverture. On ne voyait pas son visage.

— Laissez-moi regarder sa petite frimousse, à cet ange…

D'un mouvement brutal, Ann écarta l'enfant. Puis, devant la servante interloquée, elle le serra très fort contre elle et partit en hâtant le pas.

La maison de Mrs. Archer était plus haute que large, tel un donjon. Sa façade de briques noircies, aux fenêtres étroites comme des meurtrières, semblait, par un étrange effet de perspective, se pencher d'un air menaçant sur la ruelle envahie de brouillard. Une très faible lumière verdâtre tremblotait derrière l'une des fenêtres du second étage, comme une lueur sournoise dans l'œil d'un borgne.

Ann hésita avant de s'approcher du perron. Elle resserra frileusement la couverture autour d'elle et de l'enfant, puis elle monta lentement les trois marches de pierre noire. Un heurtoir de fonte en forme de serre de rapace était suspendu à la porte. Ann le saisit avec appréhension, hésita une dernière fois, et enfin frappa trois coups.

Ils résonnèrent lugubrement.

Ann leva la tête : la lumière verte s'éteignit à la fenêtre du second étage, pour réapparaître, un instant plus tard, au premier, puis, après un assez long temps, au rez-de-chaussée.

— Qu'est-ce que c'est ? grinça une voix forte et aiguë.

— C'est… c'est moi, mère… Ann.

Quelques instants de silence s'écoulèrent avant que

deux gros verrous claquent, l'un après l'autre. La porte s'entrouvrit de quelques centimètres à peine.

Ann n'aperçut dans l'entrebâillement que deux yeux très clairs, vifs et froids comme des pierres d'émeraude, qui la dévisageaient.

— Ainsi te voilà…

Les yeux verts – verts comme le verre de la petite lampe que la femme avança à ce moment dans l'ouverture – se posèrent sur la forme de l'enfant gonflant la couverture.

— Le voilà aussi, ajouta-t-elle d'une voix soudain radoucie.

Elle reporta le regard sur Ann. Sans amitié.

— Entre, il va attraper froid.

La pièce du rez-de-chaussée, chichement éclairée par la flamme verdâtre de la lampe, était meublée d'une table de bois sombre flanquée de bancs, d'un gros bahut tapi dans la pénombre et de deux vieux fauteuils accroupis devant la cheminée où rougeoyaient de maigres braises. Il n'y faisait guère plus tiède que dans la rue.

Mrs. Archer effleura le bras d'Ann et lui désigna l'un des bancs.

— Assieds-toi.

Ann obéit. Elle n'avait jamais rencontré auparavant la mère de son mari. Louis s'était querellé avec elle avant le mariage, elle avait refusé d'y assister.

C'était une femme à laquelle il était difficile de donner un âge. Grande, voûtée, maigre, les cheveux gris coiffés en bandeaux serrés autour du crâne, elle portait une robe noire empesée qui l'engonçait jusqu'au menton. Dans son visage ridé aux lèvres et au nez minces, coupants, sévères, les yeux émeraude semblaient concentrer toute l'énergie qui avait déserté ce corps malingre et bossu.

— Mettons tout de suite les choses au point, dit-elle en déposant la lampe sur un coin de la table. Je ne voulais pas que mon fils devienne matelot et je ne voulais pas qu'il t'épouse. Il valait bien mieux que ça, il méritait bien mieux que toi. Mais c'était une tête dure, un vrai caillou. Il rêvait d'aventures, de voyages, de chimères du bout du monde ! Et voilà où ça l'a mené… Il pourrit quelque part au fond de l'océan. Je n'ai même pas une tombe où me recueillir, le retrouver, me confier à lui.

Elle parlait d'une voix précise, froide, sans émotion apparente. Ce contraste entre ces mots de deuil et le ton sur lequel elle les énonçait mettait Ann très mal à l'aise. Comme l'intimidaient ces yeux qui la scrutaient avec insistance.

— Quant à toi, j'ignore ce que tu as fait pour lui mettre le grappin dessus. Tu n'es même pas vraiment jolie. Mon fils aurait pu épouser n'importe quelle fille dans le quartier, pas plus jolie que toi, je te l'accorde, mais avec une dot, des espérances et un héritage. Alors que toi… Une pauvresse qu'il a dû ramasser dans le caniveau.

Ann se dressa soudain sur ses pieds. L'insulte, en la piquant au vif, lui avait redonné du courage.

— Vous avez raison. Je n'ai rien à faire ici, je m'en vais.

Mrs. Archer lui mit la main sur l'épaule et, avec une force inattendue, la força à se rasseoir sur le banc.

— Pas de simagrées avec moi, ma fille ! Où comptes-tu aller ? Avec quel argent ? Louis est mort noyé et toi, tu es à la rue, comme une mendiante.

Domptée, Ann baissa les yeux. Mrs. Archer eut un petit rire sans joie. Elle s'assit auprès de la jeune femme, avec la lente précaution des rhumatisants.

— Il va bien falloir qu'on s'entende, toi et moi. Ou qu'on fasse semblant. Comme je te l'ai écrit dans ma lettre, je suis prête à t'accueillir, avec cet enfant. Tu devines pourquoi ? Pas par charité, non, ni par affection, encore moins. Mais parce que c'est l'enfant de mon fils. Je suis comme toi, ma petite : grâce à cet enfant, je n'ai pas complètement perdu Louis. Alors je veux qu'il grandisse chez moi.

Elle posa sa main décharnée sur la couverture qui enveloppait le bébé. Elle en écarta délicatement les pans qui couvraient son visage. Ann se raidit, étreignit l'enfant plus fort. Mrs. Archer fit claquer sa langue, d'agacement.

— Tsst… Tu vas devoir t'habituer à le partager, ma petite Ann. Nous sommes en train de passer un marché, toi et moi. Je vous loge et je vous nourris : en échange, ton enfant devient le mien. Je m'occuperai de son éducation. J'ai commis des erreurs en élevant son père. Lui, je l'élèverai mieux.

Ann gardait les yeux fixés sur la main longue, maigre et griffue qui caressait le front du nouveau-né. Les paupières du bébé s'ouvrirent. Il se mit à vagir, puis à pleurer et à crier. La main de Mrs. Archer s'écarta de son visage, elle agrippa Ann par l'épaule.

— Il a faim. Nourris-le.

Pour la première fois, Ann releva la tête et affronta sa belle-mère. Elle lui tendit brusquement l'enfant qui hurlait.

— Vous voulez être sa mère ? Nourrissez-le vous-même !

Un moment, les deux femmes se défièrent du regard. Cette fois, Mrs. Archer fut la première à rompre : elle consentit à détourner les yeux pour les poser sur la figure rouge et convulsée du bébé.

— Tu ne m'as pas comprise, Ann. Je ne veux pas te le voler. Je veux juste ma part.

— Quelle part ?

— Son éducation. Je veux en faire un homme.

Alors, à la grande surprise de Mrs. Archer, Ann se mit à rire.

— Qu'est-ce qui te prend ? Tu deviens folle ?

Sans répondre, la jeune femme déposa l'enfant dans son giron et dégagea un sein de son corsage. Elle guida avec sûreté la tête du bébé, qui mordit avec reconnaissance dans son téton et se mit à aspirer le lait. Adoucie par ce spectacle, Mrs. Archer eut un mince sourire et demanda :

— Lui as-tu déjà donné un nom ?

Une dernière trace de rire dans les yeux, Ann considéra sa belle-mère.

— Il m'a semblé qu'il vous revenait de faire ce choix.

Quelque chose, qu'elle était incapable de définir, mettait Mrs. Archer mal à l'aise. Était-ce le rire incongru qui avait secoué Ann tout à l'heure ? Ou bien son étrange expression de moquerie et de défi qui contredisait l'humilité de sa réponse ? Méfiante, Mrs. Archer hocha la tête à plusieurs reprises. Elle réfléchissait. Elle contemplait le bébé tétant goulûment sa mère.

— Je crois, dit-elle enfin, qu'une vie remplace une mort. Cet enfant est celui de mon fils. Donc, appelons-le comme lui : Louis Marion.

— Bien ! s'exclama Ann. Très bien !

Quand le nourrisson, repu, ouvrit la bouche et lui relâcha le sein, elle le plaça contre son épaule, lui tapota le dos. Il fit un rot. Elle le souleva alors face à son visage, examina sa minuscule frimousse et lui déclara :

— Tu as entendu, Louis Marion Archer ? Bienvenue chez les hommes !

Et elle rit à nouveau.

## 4.
## OÙ JAMBE-DE-BOIS
## TOMBE DANS LA RUELLE

Louis Marion Archer n'accepta la vérité sur lui-même qu'à l'âge de quinze ans.

Il grandit comme une plante sauvage – « de la mauvaise graine », disaient les femmes du quartier. Aussi loin qu'il remonte dans ses souvenirs, il se revoyait, pieds nus, en train de courir ou de se battre dans les ruelles et les terrains vagues de Hartfield. Hiver comme été, il ne rentrait à la maison que pour manger et dormir.

Quand il était tout petit, il ne savait pas précisément qui était sa mère : Nanny, la vieille femme qui donnait des ordres, ou Ann, la jeune femme qui faisait les travaux ménagers, parlait à peine, et le regardait avec une expression si souvent triste. C'était Ann qui préparait ses repas, qui nettoyait et reprisait ses vêtements, c'était elle qui, dans la petite remise attenante à la cuisine, le lavait dans la bassine de cuivre qu'elle emplissait d'eau chaude, c'était elle qui l'habillait.

Dès qu'il avait eu six ans, Nanny s'était mis en tête de lui apprendre à lire et à écrire elle-même. C'était une torture, ces heures passées courbé sur la table à déchiffrer une vieille bible et à écrire, à la plume d'oie, des versets et des psaumes qui n'avaient aucun sens pour lui. Ces jours-là, il n'attendait qu'une chose : qu'elle le libère, et qu'il puisse retourner dans les rues, avec les garçons de Hartfield. La vraie vie : courir, cracher loin, jurer, imaginer des tours pendables, se défier, se battre.

Il était d'une taille au-dessus de la moyenne et de constitution nerveuse. Et il n'avait peur de rien. Ni de personne. À dix ans, d'un coup de coude sur l'arête du nez, il tira du sang et des larmes à Fat Tommy ; d'un coup de pied dans le bas-ventre, il le mit à genoux. C'est ainsi qu'il se fit une place dans la bande des Devils' Hearts.

Le bas-ventre. Il avait appris très tôt que c'était la faiblesse des autres garçons. Là où ils mettaient l'essentiel de leur vanité. Quand le soupçon qu'il était une fille l'avait-il effleuré pour la première fois ? Il ne se le rappelait plus. Il l'avait aussitôt écarté.

Les filles, leurs parents les gardaient prisonnières à la maison. Elles portaient des robes qui empêchent de courir – de toute façon, elles semblaient n'avoir jamais envie de courir, de se battre. Elles prenaient des mines de princesse en allant au temple, le dimanche, elles faisaient semblant de baisser les yeux avec modestie, ce qui ne les empêchait nullement de décocher de temps à autre de furtifs regards d'envie aux gars des Devils' Hearts qui ricanaient sur leur passage. Louis Marion ne voulait pas être une fille, il se disait qu'il n'y avait rien de plus ridicule au monde.

Quelle différence, après tout, entre les garçons et lui ? Puisqu'il était capable de casser la figure à Fat Tommy, capable de mener les Devils' Hearts à la victoire contre les bandes rivales, capable de réussir des séries de sept ricochets sur la rivière, capable de tenir vaillamment son rôle ? Pourquoi n'aurait-il pas été un garçon, lui aussi ? Parce qu'il n'était pas fait comme eux ? Qu'il ne pissait pas comme eux ? Et alors ?

Et puis vint ce jour de ses quinze ans qui changea son destin. Ce jour où il dut accepter malgré lui la vérité de son sexe.

Les Devils' Hearts traînaient souvent du côté du One-Eyed Jack's, la taverne. Ils savaient qu'à partir d'une certaine heure les ivrognes en sortaient, plus ou moins éjectés de force. Les Devils aimaient bien ces types-là. Ils tenaient à peine debout, ils titubaient, parlaient tout seul, fredonnaient des chansons. Quand l'un d'eux apparaissait dans la ruelle sombre derrière la taverne, Fat Tommy se glissait derrière lui tandis que Louis Marion l'abordait : « Hé ! Comment ça va ? »

Fat Tommy n'avait plus qu'à s'agenouiller, faisant le gros dos : Louis frappait l'ivrogne des deux mains à plat sur la poitrine. L'homme reculait, trébuchait sur Tommy et se retrouvait les quatre fers en l'air. Une fois à terre, Vince faisait les poches de l'ivrogne. Il lui piquait sa montre, s'il en avait une dans son gousset, et son portefeuille ou sa bourse. Les Devils couraient jusqu'à Mosley Lane, une impasse qui leur servait de quartier général. Vince partageait l'argent. S'il y en avait. Les ivrognes, malheureusement, boivent souvent tout ce qu'ils gagnent, c'est bien connu.

Ce soir-là, Louis Marion avait mal au ventre. Il ne se sentait pas bien. Mais Vince avait repéré un gros homme avec une jambe de bois qui était entré au One-Eyed Jack's.

— On va se le faire, celui-là.

Louis souffrait d'une nausée bizarre. Il n'avait qu'une envie : rentrer à la maison, se mettre au lit et ne plus penser à rien. Mais il avait aussi des responsabilités : il était chef de bande. Pas question de laisser ses gars agir seuls.

Il envoya Tiny Timmy dans la taverne, avec ordre de garder l'œil sur le gros homme à la jambe de bois et de les prévenir quand il se déciderait à sortir. Quant à eux, Louis Marion, Vince et Fat Tommy, ils se cachèrent derrière les barriques vides que le tavernier entreposait derrière son établissement.

Ils attendirent. Louis avait de plus en plus mal au ventre.

Il était déjà tard quand Tiny Timmy se faufila hors de la taverne. Il les rejoignit derrière les barriques.

— C'est bon, souffla-t-il, tout excité. Il va sortir. Dites donc, il a des pièces d'or plein les poches ! Je les ai vues ! Plein, plein les poches !

— Crie pas comme ça, on va t'entendre…

Louis essaya d'ignorer son mal de ventre et de se concentrer sur ce qu'ils allaient faire.

La porte de la taverne s'ouvrit. Claudiquant lourdement, le torse bombé, le menton haut, avec l'excessive solennité des ivrognes qui cherchent à donner le change, Jambe-de-Bois fit quelques pas incertains dans la ruelle. Il portait un tricorne noir, une longue veste bleu roi sur un gilet rouge vif. Un falot, près de l'enseigne, jetait une faible lueur qui n'éclairait qu'un cercle étroit dans la nuit.

— On y va ? chuchota Vince.

Louis s'apprêtait à donner l'ordre quand une voix, jaillie de l'obscurité, lança :

— Hé ! Red Peter Cockram !

Jambe-de-Bois s'immobilisa net.

— Qui m'appelle ?

Et sa main droite se glissa sous sa veste. Au même instant, trois ombres l'attaquèrent.

Il eut le temps de tirer un gros pistolet de sa ceinture, mais pas de s'en servir. L'ombre la plus rapide des trois était déjà sur lui. Il y eut le son mat d'un coup de poing. L'imposante silhouette de Jambe-de-Bois – de Red Peter Cockram, puisque cela semblait être son nom – vacilla, pivota et s'abattit dans la boue de la ruelle. La première ombre se pencha, lui arracha le pistolet, tandis que les deux autres la rejoignaient.

— On nous a grillés, murmura Fat Tommy, furieux.

Louis le fit taire en lui plaquant la main sur la bouche.

— Alors, comme ça, mon vieux Red, tu pensais qu'on ne retrouverait pas ta trace ? dit l'une des ombres, d'un ton à la fois goguenard et menaçant. Tu nous as pris pour des idiots ?

L'ombre qui avait parlé, plus frêle et plus petite que les deux autres, s'accroupit près de l'épaule de Jambe-de-Bois. À la lueur de la lampe de l'enseigne, les Devils virent briller une lame.

— Tu vois ce couteau ? reprit l'ombre frêle. Il y a des mois que je l'aiguise, jour après jour, en pensant à toi. Des mois que j'attends ce moment où enfin je pourrai m'en servir… Tu as envie que je m'en serve, hein, Red ?

— Je n'ai jamais eu peur de toi, répondit Jambe-de-Bois. Tu n'es qu'un petit rat sournois, Skyrm.

D'une voix rageuse, la petite ombre – Skyrm – cracha :

— Tu feras moins le malin quand j'aurai découpé une tranche de lard dans ta panse !

Près de lui, Louis sentit Tiny Timmy qui s'agitait.

— Fichons le camp, Louis… C'est pas pour nous, ici, c'est trop dangereux…

— Attends.

— Le petit a raison, chuchota Vince. Moi, je me barre. Allez, viens, Louis.

— Non.

Il n'avait pas envie de partir avant de savoir ce qui se passait, là, dans cette ruelle, entre Jambe-de-Bois et les trois ombres. Il en avait oublié ses maux de ventre.

— Comme tu veux. Tant pis pour toi…

Et, sur ces mots, Vince fila silencieusement de l'autre côté de la taverne, presque aussitôt suivi par Tiny et Fat. Louis se retrouva seul, au moment même où Jambe-de-Bois poussait un atroce cri de douleur.

Skyrm s'était « servi » de son couteau.

Il ricana, penché au-dessus du gros homme allongé dans la boue.

— Tu as mal, Red ? Je peux te faire encore plus mal… Sauf… Sauf si tu me dis où tu l'as planqué…

Jambe-de-Bois grogna quelque chose que Louis ne comprit pas. Skyrm non plus, sans doute, car il s'accroupit et approcha l'oreille du visage de Red.

— Qu'est-ce que tu as dit ? Répète…

Louis ne vit pas vraiment ce qui se passa alors. Ce fut trop rapide. Skyrm poussa un cri strident – un cri de chat qu'on mutile. Il se rejeta en arrière en se prenant le visage dans les mains. Un coup de pistolet retentit : l'une des deux autres ombres sursauta violemment, puis s'effondra comme un pantin.

Sans réfléchir, Louis s'empara d'un bâton posé près des barriques et jaillit de sa cachette.

La deuxième ombre l'aperçut, hésita, et se mit à détaler. Cependant, Skyrm beuglait d'une voix outrée, suraiguë :

— Tu m'as crevé l'œil, Red ! Tu m'as crevé l'œil !

Louis lui flanqua un grand coup de bâton dans les reins. L'homme trébucha en avant, se rattrapa en posant les mains à terre, se redressa à demi en grognant de douleur et se retourna. En un éclair, Louis vit un visage qu'il n'oublierait jamais : couvert de sang, la bouche tordue, un œil comme une plaie rouge et noire, l'autre écarquillé, d'une effrayante couleur jaune d'or, tel celui d'un chat.

Il eut très peur. Il donna un autre coup de bâton, au jugé. Il crut l'avoir touché, sans en être sûr. En tout cas, Skyrm recula en trébuchant et en poussant un nouveau cri de douleur. La main plaquée sur son œil crevé, le visage déformé par une grimace de haine pure, il gronda :

— Toi… Toi, mon p'tit gars, je te retrouverai…

Louis leva le bâton et s'avança résolument. Skyrm bondit en arrière, lui lança un crachat sanglant qui ne l'atteignit pas, fit volte-face et s'enfuit en boitant. Il disparut dans l'obscurité.

Le souffle court, le cœur battant à tout rompre, Louis lâcha son bâton. Il s'agenouilla près de Jambe-de-Bois. Une odeur de poudre flottait. Red Peter Cockram tenait un pistolet dans la main gauche, un poignard dans la main droite. Il y avait du sang sur la lame, et sur tout un pan de la veste bleu roi.

Red Peter avait un large visage mangé d'une barbe de plusieurs jours, un nez en pied de marmite, de petits yeux enfoncés qui dévisageaient Louis avec une acuité inquiétante.

— Ça va ? lui demanda Louis, bêtement.

— Pas très fort… Je crois bien que j'ai terminé mon voyage sur cette terre, mon jeune ami… Écoute.

Lâchant le poignard, il s'agrippa à la main de Louis.

— Mon secret, il ne sera pas pour moi… Mais pas pour Skyrm non plus… Nous n'avons pas été présentés, nous n'aurons pas le temps de faire connaissance, toi et moi, mais j'ai bourlingué toute mon existence et c'est la première fois qu'un inconnu me vient en aide… Dieu te bénisse, mon jeune ami, et que le Diable te protège… Je n'ai jamais fait beaucoup de bien ici-bas, mais pas tellement de mal non plus. Le Seigneur pèsera tout ça dans sa balance, on verra bien de quel côté elle penchera… À moins…

Il poussa un faible gémissement et ses yeux s'écarquillèrent sous l'effet d'une peur intense.

— À moins que je comparaisse devant le cheval d'or…

Sa main glacée serra si fort celle de Louis qu'elle en resterait meurtrie plusieurs jours. Il murmura :

— Je l'aurai mérité… Dieu me vienne en aide…

Puis, apparemment apaisé, il reprit d'une voix altérée :

— Avant de partir pour ce monde que… que j'espère meilleur, il me reste le temps de faire une bonne action… Enfin, bonne, je ne sais pas, ça dépendra de toi, mais tu me parais avoir de la ressource… Mais surtout, *surtout*, rappelle-toi : ne touche pas l'idole… Ne pose jamais les yeux sur elle… Pas un regard… Sinon…

Louis ne comprenait rien à ce que le gros homme lui racontait. Délire de moribond, songea-t-il.

— Voilà, reprit péniblement Red Peter. Tout est dit, la partie est jouée… Toi, qui que tu sois, je te déclare mon légataire universel. Mon seul héritier…

— Calmez-vous. Je vais chercher du secours à la taverne.

Red s'accrocha de plus belle à sa main. Ses doigts étaient froids comme de la glace.

— Pas le temps… Répète après moi : « *Al letno medna itsirc.* »

— Quoi ?

— *Al letno medna itsirc…*

La respiration de Red se faisait de plus en plus bruyante, saccadée.

— *Al letno medna itsirc,* répéta Louis.

— C'est bien, murmura Red. Encore une fois…

— *Al letno medna itsirc.*

— N'oublie pas… C'est le… sésame…

Red avait de la peine à tenir les paupières ouvertes. Il était en train de mourir. Il trouva tout de même la force d'attirer Louis tout près de son visage, et il lui souffla :

— Maintenant… prends… ma… jambe…

Lentement, ses doigts relâchèrent leur prise. Un dernier soupir s'échappa de sa poitrine. Ses yeux devinrent mats ; ils ne regardaient, ne voyaient plus rien.

Qu'avait-il voulu lui faire comprendre ? Louis n'en savait rien. Son ventre lui faisait à nouveau mal, comme jamais. Le front plissé, il contempla les jambes de Red Peter Cockram.

Il n'y comprenait toujours rien. Il haussa les épaules et se décida à suivre à la lettre les derniers mots du gros homme. Par respect pour le mort. Il retroussa la culotte de drap noir et retira le bas blanc qui recouvrait la prothèse de bois. Il dénoua les lanières de cuir qui la maintenaient au moignon de la cuisse. Il l'emporta, non sans avoir eu d'abord la présence d'esprit de tâter les poches de Red Peter et d'en sortir une lourde bourse.

Il n'eut que le temps de filer et de se glisser derrière les barriques avant que la porte de la taverne s'ouvre. Plusieurs hommes sortirent dans la ruelle ; dès qu'ils aperçurent le cadavre, ils se précipitèrent, parlant tous à la fois.

Louis inspecta le pilon de bois. Oui, il était creux. Il y enfouit la main. Du bout des doigts, il toucha quelque chose. Qu'il retira.

Un rouleau de parchemin.

Il le glissa sous sa chemise, et il ouvrit la bourse. Même dans la nuit, les pièces d'or scintillaient chaudement. Alors, tandis que les clients de la taverne s'affairaient inutilement autour du corps de Red Peter Cockram, il rentra chez lui.

## 5.
# OÙ LA NATURE FAIT SON ŒUVRE

Cela le prit alors qu'il franchissait le seuil. Comme si tout le sang qu'il avait vu dans la ruelle du One-Eyed Jack's, sur la poitrine de Red Peter Cockram et sur le visage de Skyrm avait pénétré en lui.

Il entrait dans la maison de Grosvenor Lane, serrant contre lui le parchemin. Alors que Nanny, assise dans un fauteuil près de l'âtre, bougonnait : « C'est maintenant que tu rentres ? », il sentit soudain que son pantalon était humide.

Il s'immobilisa devant la porte, surpris, mal à l'aise et humilié. Oui, ce fut le mot qui lui vint à l'esprit : humilié. Il crut avoir uriné, comme un bébé – et ne comprenait pas pourquoi. Il courut vers la petite pièce de la remise et en ferma la porte.

Très vite, avec des gestes de dégoût, il ôta ses vêtements et c'est seulement là qu'il s'aperçut avec horreur qu'il saignait. Oui, du sang, pas de l'urine, du sang avait coulé de son ventre, maculant l'intérieur de ses cuisses.

Il savait qu'il n'était pas blessé. Au plus profond de lui-même, il commença à comprendre que ce qui lui arrivait ce soir modifierait sa vie à jamais. Non seulement il était différent des garçons de la bande, mais… La suite du raisonnement, il refusait encore de l'exprimer.

Il se découvrit alors dans le miroir posé contre le mur. Nu, blême, le regard perdu. Il considéra ses seins qui commençaient à grossir, saisit sur une étagère un linge qu'il roula en boule et appliqua entre ses cuisses, où le sang continuait à s'épancher. Depuis des mois il évitait d'affronter son image dans ce miroir. Et ce qu'il y voyait à présent, ce n'était pas Louis Marion, l'impitoyable chef des Devils' Hearts, mais ce que, pendant des années, il avait refusé de regarder en face : le reflet d'une fille.

Un être pourvu de seins. De hanches plus larges que la taille. Et affligé de ce sang suintant, comme d'une plaie, entre ses cuisses.

— Je ne suis pas une fille, murmura-t-il.

Il ferma les paupières et répéta :

— Je-ne-suis-pas-une-fille.

Il ignorait que, scandant ces mots comme s'ils pouvaient avoir quelque effet magique, il retrouvait la voix d'Ann, sa mère, le jour de son accouchement, quand elle avait crié à la sage-femme : « Je-ne-veux-pas-de-fille ! »

On frappa à la porte. Il se détourna vivement du miroir et demanda, d'un ton hostile :

— Qui est là ?

— C'est Ann. C'est ta mère. Laisse-moi entrer. Il faut qu'on parle, toi et moi.

Il prit une couverture pliée sur l'une des étagères de la remise et s'en enveloppa, comme on se protège dans une cuirasse. Il s'était mis à trembler de tout son corps.

— Qu'est-ce que tu veux ? grogna-t-il.

— Que tu me laisses entrer. Te parler. S'il te plaît.

Il alla à la porte, prit la targette dans ses doigts, hésita.

— Me parler ? Me parler de quoi ?

— De nous. De moi. De toi.

Louis posa le front contre la porte. Derrière, il entendit Ann qui pleurait.

— Tu vas me mentir.

— Non ! Pourquoi te mentirais-je ?

— Parce que tu m'as toujours menti. Je le sais maintenant !

Il perçut comme un cri étouffé, puis un gémissement.

— Pardonne-moi, dit Ann à voix très basse.

— Que je te pardonne quoi ?

— S'il te plaît, ouvre-moi la porte. Je t'expliquerai.

Il n'avait pas envie que sa mère mette des mots sur ce qui lui arrivait. Il aurait tellement préféré que rien ne change, que rien ne se soit passé. Demeurer à jamais ce grand gars maigre, nerveux et autoritaire courant à la tête des Devils' Hearts. Le sang, l'or, le parchemin, Red Peter Cockram et Skyrm, tout cela lui tourna tout à coup dans l'esprit, jusqu'à l'étourdir.

— Je t'en prie. Louis…

Il se reprit. Après une dernière hésitation, il ouvrit la porte et laissa Ann entrer. Elle ouvrit les bras, l'invitant maladroitement à s'y blottir. Gêné, il s'écarta, mais sans brusquerie.

— Alors ? Je t'écoute.

— J'aurais dû te parler plus tôt.

— Pourquoi tu ne l'as pas fait ? Pourquoi tous ces mensonges ? *Je suis* un mensonge. À cause de toi.

— Je ne veux pas me justifier, Louis, ça servirait à quoi ? J'ai été folle, inconsciente, je suis coupable, coupable, coupable, je le sais bien.

Elle se remit à pleurer. Il la saisit aux épaules, la secoua.

— Je m'en fiche, de tes raisons ! Ce que je veux que tu m'expliques, c'est ce qui m'arrive !

Elle se prit le visage entre les mains. Il la relâcha.

— Louis, ce qui t'arrive n'est pas grave. Cela arrive à toutes les…

Elle se mordit les lèvres, comme si elle ne se résolvait pas à laisser passer le dernier mot. Il eut envie de la bousculer encore, mais il se doutait que c'était inutile, que ça ne changerait rien. Ce mot, elle l'avait enfoui dans le secret depuis quinze ans, il lui était insupportable de le prononcer. Louis avala sa salive et le prononça lui-même, ce mot détesté, maléfique et fatal :

— À toutes les *filles*... ? Hein ? C'est ce que tu ne parviens pas à dire ?

Elle sanglota de plus belle.

— Dis-le ! Je veux te l'entendre dire : « Louis, tu es une fille. »

— Non... Non, pardonne-moi, je... je n'y arrive pas...

— « Louis, tu es une fille » !

— Non, Louis...

— « Louis, tu-es-une-fille » !

Il lui attrapa le visage entre les mains et la força à lever sur lui ses yeux brouillés de larmes.

— « Louis, tu-es-une-fille » !

Elle hoqueta :

— Louis... Louis, tu es... oui, tu es... Tu es une fille...

Il se sentit brusquement apaisé. Le fait ayant été énoncé par sa propre mère, la réalité de son sexe ne le dérangea plus. C'était ainsi, c'était sa nature et son genre. Il se dit simplement qu'il lui faudrait désormais penser à lui-même – à *elle-même* – au féminin.

— Oh, Louis, sanglota Ann. Louis...

— Ne m'appelle plus Louis. Appelle-moi… je ne sais pas… Lou. Oui, Lou. C'est très bien, Lou.

Il prit sa mère dans ses bras.

— Désormais, je suis Lou, ta fille.

— Oui… Oui, Lou. Ma fille…

À cet instant, elles sursautèrent : des coups violents étaient frappés à l'entrée de la maison.

## 6.
## OÙ MRS. ARCHER EST
## ASSOMMÉE

Lou s'écarta de sa mère et alla entrouvrir la porte de la remise. Les coups se répétaient, insistants, agressifs. Elle – il lui fallait bien se résoudre maintenant à être une fille – passa dans la cuisine, la traversa et, se plaçant contre le mur, elle inspecta la salle du regard.

Sa grand-mère, Mrs. Archer, se déplaçait à petits pas vers la porte d'entrée, en marmonnant avec mauvaise humeur. Elle n'eut pas le temps d'arriver à destination. La serrure céda brusquement sous un coup plus brutal que les autres et deux figures de l'enfer déboulèrent dans la maison.

Un grand flandrin musculeux aux énormes sourcils et au menton fuyant. Et un petit homme sec au visage ensanglanté et à l'œil gauche crevé. Skyrm. Il agrippa Mrs. Archer par un bras et glapit furieusement :

— Où il est ? Le gamin ! Où il est ?

— Mais… mais lâchez-moi ! se plaignit Mrs. Archer.

— Hé ! la vieille, t'as intérêt à répondre vite : où est la saleté de gamin qui est entré chez toi tout à l'heure ?

Indignée, elle se mit à hurler :

— Au secours ! À l'aide ! À l'assassin !

Skyrm tourna la tête vers son acolyte.

— LaBouche, fais-la taire !

Le dénommé LaBouche avança d'un pas, contempla ses grosses mains l'une après l'autre, ferma la droite en un poing qui cogna Mrs. Archer à la tempe, l'assommant net. Skyrm lui lâcha le bras. Elle tomba au sol. Il désigna l'escalier menant aux étages.

— Allons voir là-haut ! Il ne doit pas être loin !

Tandis que Skyrm et LaBouche grimpaient les marches quatre à quatre, Lou retourna à la remise. Les yeux écarquillés de peur, Ann tremblait.

— Ne t'en fais pas, lui dit sa fille en jetant dans un coin la couverture dont elle s'était enveloppée.

— Qui sont ces hommes ? demanda Ann. C'est toi qu'ils cherchent ?

Sans répondre, Lou se lava rapidement, prit des vêtements propres sur une étagère et les enfila vivement.

— Qu'est-ce qui se passe ? Vas-tu me le dire ?

Lou jeta un coup d'œil dans la remise. Elle vit ses vêtements sales, prit dans la poche du pantalon le parchemin et la bourse d'or, les glissa dans sa veste. Puis elle empoigna un battoir à lessive, en frappa plusieurs fois le plat de sa main gauche. Finalement, songea-t-elle, fille ou garçon, ça ne change rien. Je suis moi, l'intrépide chef de bande.

— Parfait, dit-elle en prenant sa mère par le coude. Obéis-moi, tout se passera bien. Viens !

Elle ressortit de la remise et traversa la cuisine, entraînant Ann dans la salle. En haut, on entendait le vacarme que faisaient les deux hommes en courant de pièce en pièce, d'un étage à l'autre. Elle conduisit sa mère jusqu'à la porte d'entrée et la poussa sur le perron. Elle se sentait l'esprit incroyablement clair. Elle n'éprouvait aucune frayeur, seulement une grande excitation nerveuse.

— Cours, ordonna-t-elle à sa mère. Va alerter les voisins !

Ann hésitait, le regard affolé.

— Viens avec moi…

— Il faut sortir Nanny de là. Laisse-moi faire.

Lou donna une tape sur l'épaule d'Ann.

— Allez, va ! Va chez les McLeod !

À contrecœur, sa mère lui obéit. Lou la regarda courir et s'assura qu'elle traversait bien la rue et frappait chez les voisins.

Maintenant, tirer Nanny d'ici…

On est ce qu'on croit être. On agit comme on a appris à agir. Lou avait beau savoir qu'elle était une fille, elle se comportait en garçon. En chef de la bande des Devils' Hearts. Elle se précipita auprès de Mrs. Archer inconsciente, s'agenouilla près d'elle, vérifia qu'elle respirait encore. Elle lui glissa les mains sous les aisselles et la souleva pour la traîner à l'extérieur.

Mais, très vite, elle comprit qu'elle n'aurait ni le temps ni la force de charrier le grand corps inerte de Nanny hors de la maison. Elle lui reposa doucement les épaules et la nuque au sol et se retourna au moment même où Skyrm et son acolyte réapparaissaient au sommet de l'escalier.

Et maintenant ? Que fallait-il faire ? C'était simple. Son instinct le lui dicta. Puisque Skyrm s'intéressait au parchemin caché dans la jambe de bois de Red Peter Cockram, Lou le tira de sa poche et le brandit comme un défi.

— C'est ça que tu cherches ? lui lança-t-elle. Viens le prendre !

Et, alors que Skyrm, une main plaquée sur son œil crevé, dévalait l'escalier, Lou fit volte-face et se précipita dehors.

De l'autre côté de la rue, la porte de la maison où Ann avait cherché refuge était restée ouverte. Elle livra passage à Samuel McLeod, un grand Écossais massif comme un bœuf, suivi de ses deux fils, aussi costauds et farouches que lui. Lou leur désigna les silhouettes de Skyrm et de LaBouche qui se découpaient sur le seuil de sa propre maison.

— C'est eux ! Ils ont assommé Nanny !

— Ouaip, fit simplement le grand Écossais. J'vois.

Écartant doucement Lou, il s'avança, encadré de ses fils, en direction des deux agresseurs. Ceux-ci comprirent bien vite que le rapport des forces avait changé, et en leur défaveur. Un instant plus tard, ils détalaient dans la rue.

Les McLeod ne prirent pas la peine de les poursuivre. Ils se contentèrent de rester plantés au milieu de la chaussée, placides mais dissuasifs. Quand les pas des fuyards se furent évanouis dans le lointain, le père se tourna enfin vers Lou.

— Rentre chez toi retrouver Ann. Nous, on s'occupe de ta grand-mère.

Lou se détendit soudain, s'aperçut qu'elle tenait toujours le battoir à lessive à la main, le déposa comme une arme sur son épaule et pénétra chez les McLeod.

# 7.
# OÙ LOU PREND
# UNE DÉCISION

La famille Archer passa cette nuit-là chez ses voisins.

Nanny avait été transportée sur un lit à l'étage. Mrs. McLeod lui enveloppa le crâne d'un linge humide, lui fit respirer des sels : elle reprit connaissance. À part un large hématome sur la tempe, elle semblait hors de danger. Cependant, elle ne prononça pas un mot, se contentant de répondre aux questions sur sa santé au moyen de brefs clignements de paupières.

— Il faut qu'elle se repose, dit Mrs. McLeod. Demain, tout ça ne sera plus qu'un mauvais souvenir.

Ann et Lou s'installèrent au chevet de la vieille femme et attendirent qu'elle s'endorme. Il y fallut une bonne heure, pendant laquelle Mrs. Archer ne cessa de fixer curieusement ses yeux froids sur son « petit-fils ». Enfin, la fatigue l'emporta, ses paupières se fermèrent. Quand elles furent certaines qu'elle respirait paisiblement, Ann et Lou gagnèrent l'autre lit de la chambre.

— Dis-moi, chuchota Ann, tu connaissais ces hommes, n'est-ce pas ?

— Je les ai vus ce soir derrière le One-Eyed Jack's.

Lou lui raconta alors la scène dont elle avait été le témoin.

— Tu es insensée, lui dit sa mère. Ils auraient pu te tuer… Et s'ils revenaient ? Oh, gémit-elle, je suis sûre qu'ils vont revenir…

— Ils auraient tort, rétorqua calmement Lou. Ils ne me retrouveraient pas.

— Pourquoi ?

— Parce que tout à l'heure je m'en vais.

— Non, Louis… Lou… Je te le défends.

— Il le faut.

Avant que sa mère la prenne dans ses bras, elle souffla « Attends » et sauta prestement hors du lit. Des poches de sa veste posée sur le dossier d'une chaise, elle retira le parchemin et la bourse. Elle revint près de sa mère, s'assit en tailleur sur la courtepointe.

— Voilà ce que m'a légué Red Peter Cockram, expliqua-t-elle.

Elle déroula le parchemin et, le lissant plusieurs fois de la paume, elle l'étala avec soin sur l'oreiller, dans la lueur de la chandelle du chevet.

— C'est bien ce que je pensais. Regarde.

C'était une carte. La carte d'une île. Dessinée d'une main un peu maladroite, elle avait la forme d'un cercle écrasé au sommet, plus large à la base, où s'accrochaient deux caps, comme des pattes, ou des pinces. Oui, des pinces, se dit Lou ; on avait calligraphié ces mots en tête du parchemin : *L'île du Crabe*. Chacun des caps – chacune des pinces – portait un nom : Windy Cape et Fisher's Cape (« le cap des Vents » et « le cap du Pêcheur »). Au centre approximatif de l'île, une sorte de montagne était représentée : Black Hill – « la Colline Noire ». À quatre largeurs de doigt au nord, une croix à l'encre rouge, près du dessin sommaire de trois arbres à palmes et du tracé bleu ondulé d'une rivière, était surmontée d'une inscription en très petits caractères que Lou déchiffra à mi-voix :

— « *À partir du troisième arbre au nord, douze pas vers l'aube, deux vers le crâne, trois vers l'oiseau rouge.* »

Enfin, dans le coin inférieur gauche du parchemin, une mystérieuse suite de chiffres et de lettres : 22. 17 N – 68. 14 W.

— J'en étais sûre ! s'exclama Lou.

— De quoi ?

— Mais regarde ! C'est évident ! C'est la carte d'un trésor !

Ann examina le parchemin d'un air déconcerté.

— Qu'est-ce que tu racontes ? On ne parle de trésor nulle part, sur ce papier…

— Oh, que si ! Même qu'il est là.

Et Lou planta son index sur la croix à l'encre rouge.

— Il faut que j'aille à Londres, expliqua-t-elle. Il faut que j'embarque sur un navire et que je m'arrange pour parvenir dans cette île.

— Tu veux embarquer ? Ah, non ! Je te l'interdis, tu m'entends, je te l'interdis… La mer m'a pris mon mari, elle ne me prendra pas ma fille…

— Maman, écoute-moi. Ce n'est pas parce que je m'appelle comme mon père que je subirai le même sort que lui. Au contraire. Je crois, je suis certaine que je suis là pour accomplir ce qu'il n'a pas eu le temps de faire. Pour toi. Pour Nanny. Un jour, je reviendrai ici assez riche pour acheter tout Hartfield !

— Qu'est-ce que je ferais de Hartfield ? C'est de toi que j'ai besoin. Toi, ma fille.

Elles se blottirent dans les bras l'une de l'autre. Lou lui chuchota à l'oreille :

— Fais-moi confiance. Laisse-moi obéir à mon destin.

— Ton destin est de vivre comme une femme. De te trouver un gentil mari et de lui donner des enfants. De me donner un petit-fils.

— Non, maman. Mon destin m'a fait grandir comme un garçon. Comme un garçon, j'ai besoin d'aventures. Il me faudra du temps, beaucoup de temps peut-être, pour penser à moi comme à une femme. Laisse-moi prendre ce temps.

— Tu risques de t'y perdre toi-même, définitivement…

— C'est possible. Mais je dois courir le risque.

Elles discutèrent tard, cette nuit-là. Comme une mère et sa fille. Comme elles ne l'avaient jamais fait.

Ann, surtout, parla. Elle avait retenu en elle tant de secrets depuis quinze ans. Cela lui procura un plaisir et un apaisement intenses de confier à sa fille quel homme était son père, combien elle l'avait aimé, le bonheur qu'elle avait connu pendant ce temps si court avant de le perdre. Du chagrin aussi, de se remémorer les derniers mots qu'il avait prononcés avant de s'embarquer, puis ceux, tombés de la bouche du sévère quartier-maître, qui lui avaient appris son deuil. Oui, cela la fit pleurer.

Et c'était Lou – à peine avait-elle eu le temps d'accepter d'être une fille – qui la consolait, la berçait dans ses bras, comme si elle se faisait la mère de sa propre mère. Ou plutôt, songeait-elle, comme si quelque chose en moi demeurait très masculin, et que je la console comme un fils aîné consolerait sa mère. Voilà, se dit-elle, je suis à la fois le fils et la fille de ma mère. Mais, pour moi-même, qui suis-je ? Le découvrirai-je un jour ?

Ses questions ne trouvèrent pas de réponse, et n'en avaient peut-être pas encore. Ann, étourdie de souvenirs douloureux et de larmes, finit par s'endormir dans les bras de sa fille, qui s'assoupit elle-même quelques heures. Quand elle s'éveilla, en sursaut, l'esprit aussitôt clair, un jour pâle pointait à la fenêtre de la chambre. Quelques minutes plus tard, elle avait enfilé ses vêtements, caché le parchemin sous sa veste et vidé la moitié des pièces d'or de la bourse sur le lit, près d'Ann qui dormait profondément.

Après un dernier regard à la maison où elle avait grandi, elle s'en alla dans l'aube grise.

## 8.
# OÙ LOU ARRIVE DANS LA GRANDE VILLE

Elle parvint à Londres après une semaine de voyage. Elle était habillée en garçon, à la fois parce que c'était plus prudent quand on partait seule sur les grands chemins et parce que, n'en ayant jamais porté, elle ne s'imaginait pas en robe. La plupart du temps, elle marcha le long des routes, montant parfois dans une charrette le temps de quelques miles. Elle dormit dans des granges, des étables, dans la chaleur de la paille, des vaches et des chevaux. Elle n'éprouvait aucune crainte. Elle courait au trésor.

Le sang, après quelques jours, cessa de couler de son ventre. Ce ne fut pour elle ni un événement ni un soulagement. Sa mère lui avait expliqué, lors de leur dernière nuit, les réalités de la menstruation, ce n'était donc plus pour elle ni un mystère ni une blessure.

Elle entra dans Londres sans savoir d'abord qu'elle y était arrivée. Elle avait franchi sans encombre la barrière de l'octroi, endormie dans une charrette de minotier, parmi les sacs de farine. Quand elle s'éveilla et sauta sur les pavés, elle était cernée par les façades noirâtres des maisons.

Londres était une très grande ville. Elle ignorait que les villes puissent être aussi vastes, aussi étendues. Elle traversa des faubourgs, des quartiers pauvres aux ruelles boueuses grouillant d'enfants à demi nus et de chiens errants. Après une bonne heure de marche, elle atteignit la rive d'un fleuve. Elle demanda s'il s'agissait de la Tamise ; on lui répondit : « *Yes, indeed.* » Elle en descendit le cours, suivant vaillamment la berge, regardant les rues et les façades dont l'aspect se modifiait à mesure qu'elle avançait vers l'ouest. Tout devenait plus propre, plus grand, plus large, en deux mots : plus riche. Elle rencontra bientôt des édifices impressionnants, et une foule d'hommes, presque tous habillés de noir, coiffés de chapeaux tout aussi noirs. Ils ne semblaient pas plus la voir que si elle avait été transparente. Raides, le menton haut, ils ne semblaient d'ailleurs rien voir autour d'eux, excepté le bout de leur nez. Elle continua de marcher. Le soir tomba bientôt.

Elle se sentit soudain très fatiguée. Elle réalisa alors qu'il n'y avait autour d'elle ni étable ni grange où passer la nuit. Seulement des bâtiments de pierre, gris et austères, inhospitaliers, et ces passants compassés qui montaient dans des fiacres, ou s'entassaient dans des voitures publiques.

— Hé ! Toi, là-bas !

Elle mit une seconde à comprendre qu'on s'adressait à elle. L'homme, vêtu de noir comme tout le monde, mais avec deux rangées de gros boutons dorés sur sa vareuse, portait un bicorne assez comique. Il tendait dans sa direction un gros bâton court qui ne ressemblait en rien aux cannes fines et souvent élégantes des autres passants.

— Viens ici ! lui intima-t-il.

En d'autres circonstances, Lou aurait prudemment pris ses jambes à son cou. Mais elle venait d'entrer dans Londres. Une capitale. Dont elle ignorait les usages. Qui était ce bicorne et que lui voulait-il ?

— Viens ici ! répéta rageusement l'homme. Je veux voir tes papiers !

Mes papiers ? se dit Lou. Quoi ? Mon parchemin ? Ma carte au trésor ? Sont-ils si malins dans la capitale qu'ils savent d'avance qui vous êtes et vos plus grands secrets ?

Puisqu'elle n'obéissait pas, l'homme se décida à aller à elle.

— Qu'est-ce que tu fais dans ce quartier, petit ?

Elle le regardait approcher sans trouver le réflexe de lui échapper. Hypnotisée. Et fatiguée. Elle avait tant marché. Si peu mangé. Elle ferma les paupières, s'attendant à ce que la main s'abatte sur son épaule.

— Ho ! Mister policeman ! Attrapez donc les vrais voleurs !

Lou rouvrit les yeux : l'homme s'était pétrifié sur place et scrutait la rue autour de lui.

— Où es-tu, brigand ? Où tu te caches ?

— Cherchez !

La voix était jeune, espiègle et fière. Et provenait d'un très jeune homme à la veste vert prairie, nonchalamment accoudé au plus proche réverbère. Lou, dans l'instant, lui trouva toutes les beautés : il était mince, rieur, avec des cheveux noirs et fous, et un tout petit nez de fillette. Sans quitter l'appui du réverbère, il se mit à applaudir lentement, ironiquement, quand le policier se retourna et l'aperçut.

— Bravo ! Bravo, mister ! Je suis exactement là où vous me voyez !

— Reste où tu es ! Ne bouge plus, chenapan !

— J'aimerais tant vous faire plaisir…

Le jeune homme sourit de toutes ses dents – qu'il avait blanches et régulières, remarqua Lou – et, tout à coup, alors que le policier se jetait sur lui, fit prestement deux pas de côté, l'esquiva et lui tapa sur l'épaule.

— À la prochaine !

Il courut jusqu'à Lou. Il lui attrapa la main au vol.

— Suis-moi !

Elle ne comprit pas ce qui lui arrivait. Elle lui obéit. Ils détalèrent.

Ils s'engouffrèrent dans une ruelle à gauche, une autre à droite, ensuite… Ensuite Lou se contenta de suivre. Suivre le joli jeune homme en veste verte. À bout de souffle, il se précipita dans l'encoignure d'une porte cochère. Elle lui tomba maladroitement dans les bras.

— Eh, mon gars ! sourit le jeune homme. Douce-ment…

Il poussa le petit battant ouvert dans la porte co chère, attira brusquement Lou à l'intérieur et claqua la porte derrière elle. Avec un *ouf !* exagéré, comique, il s'écria :

— Eh bien, on l'a échappé belle !

Il la considéra des pieds à la tête, un sourcil froncé, l'autre levé.

— Comment tu t'appelles ?

Il alla entrouvrir l'huis de la porte cochère, pour surveiller la rue.

— Louis Marion Archer.

— *Louis Marion* ?

Il se retourna en prenant une pose de surprise sur-jouée.

— Louis ? répéta-t-il. Ma-rion ? Tu es français ? Tu es irlandais ? Les deux ? Un crétin de mangeur de gre-nouilles et de bouffeur de patates ?

— Je suis anglais !

— Alors pourquoi tu portes ces prénoms ri-dicules ?

— Parce que !

Elle s'était penchée en avant, agressive, prête à lui envoyer un coup de poing. C'est pas parce qu'il l'avait sauvée d'un policier à bicorne qu'il devait se croire tout permis !

— D'accord, dit-il en levant les mains comme on se rend. D'accord… Je me contenterai de ton explication. De toute façon, tout le monde prend le nom qu'il veut, à Londres.

— Alors, appelle-moi Lou, et ça ira comme ça.

— Comme tu veux, Lou !

— Et toi, comment tu t'appelles ?

— Jerry, Terry, Merry, Gary, chantonna-t-il en esquissant un pas de danse bouffonne. Pour toi, disons… Barry. Oui, pourquoi pas ? Barry.

— C'est ton vrai nom ?

Il la prit par le coude et se pencha à son oreille comme un conspirateur.

— Je vais te confier un secret : à Londres, plus personne n'a de « vrai nom ». À Londres, tout le monde vient pour faire fortune. Alors… les noms, la vérité, les mensonges… À Londres, on devient ce qu'on désire – ou alors on n'est rien. Et toi, pourquoi tu es à Londres ?

Dès qu'il la touchait, dès qu'il se penchait sur elle, Lou avait du mal à réfléchir. Il la troublait, ce jeune homme inattendu en veste verte.

— Pour les bateaux, dit-elle. Pour les navires.

Il se frappa le front, comme s'il venait d'entendre quelque chose d'incongru.

— Les bateaux, les navires… Ne me dis pas que tu veux t'embarquer ? Ne me dis pas que tu veux devenir marin de la Navy de Sa Majesté ?

— Si.

— Enfer et damnation ! Mon petit Lou, qui n'est pas français, pas irlandais, pas mangeur de grenouilles et pas bouffeur de patates, vient à Londres pour devenir moussaillon !

Non, dit elle. Je veux un navire.

— Tu… tu veux un navire ?

— Oui. Le mien. Mon navire. Pour le commander.

Barry s'enfonça et agita l'index dans l'oreille, comme s'il n'arrivait pas à croire ce qu'il entendait.

— Ho ! Cap'taine Lou ! Combien de miles as-tu parcourus pour parvenir à Londres ?

— Je ne sais pas… J'ai marché une semaine.

Barry l'attrapa sous le bras.

— Alors, crois-moi : retourne d'où tu viens, moussaillon. Une semaine dans un sens, une semaine dans l'autre. Hop là ! Te voilà de retour dans ta cambrousse ! Tu n'as pas ta place à Londres. Il va t'arriver des malheurs. Tu es un fou.

— Et pas toi, peut-être ? répliqua-t-elle en se dégageant. Tu me soûles de paroles, tu fais mille grimaces, tu t'agites comme une mouche dans un bocal, tu…

— Moi ? Moi, je vis ma vie. Et je la vis bien.

— Eh bien, ne t'en fais pas pour moi. Moi aussi. Moi aussi, je saurai la vivre, ma vie.

— Mon gars, tu pues la campagne.

Vexée, exaspérée, Lou recula d'un pas. Elle plaça ses mains derrière son dos.

— Laquelle ? demanda-t-elle.

— Quoi ?

— Quelle main ? La droite, la gauche ?

— À quoi tu joues ?

— Tu le sauras tout à l'heure.

Barry l'examina longuement dans la pénombre de la cour pavée.

— Je dois vraiment… ?

— Oui.

Il soupira.

— D'accord.

— Droite ou gauche ?

— Allez, droite, si ça te fait plaisir.

Lou retira sa main de derrière son dos, la montra à Barry, puis referma les doigts.

— Gagné, dit-elle.

— Quoi ? Qu'est-ce que j'ai gagné ?

Elle le regarda dans les yeux – et, dans les siens, il y avait pas mal de moquerie – et elle le frappa au visage. Il battit des bras, tomba à la renverse, sur les fesses.

Il s'ébroua, sonné. Il se tâta la mâchoire, vérifia si elle fonctionnait encore.

— Compris, dit-il simplement.

Il lui tendit la main. Elle la prit, l'aida à se redresser. Il lui sourit de toutes ses dents. Maintenant, ils étaient amis.

# 9.
# OÙ LOU DORT DANS UN PALAIS

Barry logeait dans une masure branlante près du port. On avait cloué des planches sur les portes et les fenêtres pour les condamner. Mais Barry s'était ouvert un passage par l'entrée de la cave, dissimulée derrière un buisson de ronces.

Une chandelle à la main, il lui fit les honneurs de son « palais ». Les toiles d'araignée, il prétendit que c'étaient des lustres de cristal et des tapisseries brodées d'argent. Les amas de gravats entassés au pied de murs à demi effondrés, sa faconde les transformait en meubles de prix et en sculptures antiques. Les trous dans les plafonds et dans la toiture étaient des rosaces et des coupoles de cristal ouvertes sur le ciel et les constellations. Les rats qui fuyaient à leur approche, des meutes de chiens « dressés pour la chasse à courre ». Le chat qui se faufila entre leurs jambes, son cheval préféré.

Lou ne disait rien ; Barry l'étourdissait de mots.

Ils entrèrent dans une pièce du dernier étage. Il y avait là deux paillasses sur le sol, une petite table aussi bancale que les deux chaises dépareillées qui la flanquaient, et une armoire à laquelle il manquait une porte et un pied.

— La plus belle chambre du château ! Là, dort d'un sommeil d'ange le plus habile des voleurs de Londres !

— Ah oui ? Qui ça ?

— Moi, idiot.

— Tu es un voleur ?

— Que veux-tu ? J'ai un don ! Une vocation ! Un talent d'artiste ! Mes mains sont des oiseaux qui passent, frôlent redingotes et sacs à main et reprennent leur essor, emportant des merveilles ! Montres, bourses, portefeuilles, bracelets, poudriers d'or et de nacre !

— Alors, vraiment ? Tu es un voleur…

— Ne fais pas cette tête. Londres est peuplé de voleurs en habit noir et en chemise de dentelle. Ils habitent les beaux quartiers lugubres où nous nous sommes rencontrés. Moi, je suis le seul voleur à veste verte. Le seul à loger dans un palais de poésie et de rêve – et le seul, mon p'tit gars, qui t'invitera à partager sa somptueuse demeure !

Lou sourit, voulut plaisanter à son tour : un étourdissement lui fit tourner la tête. Elle se laissa tomber sur une chaise.

— Qu'est-ce qui t'arrive ?

— J'ai sommeil, murmura-t-elle. Et j'ai faim.

— J'appelle aussitôt mes chambrières et mes marmitons !

Il claqua des mains comme pour convoquer ses domestiques. Après quoi, contrefaisant tantôt le majordome, tantôt une femme de chambre, il alluma un feu dans la petite cheminée de la pièce, secoua l'une des paillasses – d'où jaillit un nuage de poussière – et y jeta une couverture rapiécée qu'il avait prise dans l'armoire bancale.

— Installe-toi. Mon chef cuisinier s'occupe du reste.

Elle alla s'asseoir sur la paillasse. Elle avait froid ; elle s'enveloppa dans la couverture. Elle se tourna vers la chaleur du feu. Ses paupières ne lui obéissaient plus. Elle tâchait de les garder ouvertes, mais elles pesaient le plomb. Déjà, elle rêvait à demi – des songes diffus où tournoyaient la jambe de bois de Red Peter Cockram, l'œil crevé de Skyrm, les énormes sourcils de LaBouche et le bicorne du policier. Sarabande hypnotique.

Barry avait mis deux tranches de lard dans une

poêle, la poêle sur les braises, coupé du saindoux et des pommes de terre dans la poêle. Ça sentait bon.

Un nouveau songe prit la place du premier. Elle rêva qu'elle mangeait. Quand le lard fut assez frit, Barry se tourna vers elle.

— Monsieur est servi !

Elle était tombée sur le flanc et ronflait.

Barry haussa les épaules, apporta la poêle jusqu'à la table, s'y assit et, découpant le lard en fines tranches, commença son repas. Tout en mastiquant, il observait son nouveau compagnon. Il avait éprouvé pour lui une sympathie immédiate. Il ne savait pas pourquoi. Ce n'était ni dans sa nature ni dans ses habitudes. Il survivait seul depuis l'âge de huit ans. Il y avait longtemps qu'il ne faisait plus confiance à personne sur sa seule bonne mine.

Lou se réveilla au petit matin. Il lui fallut quelques instants pour se rappeler où elle se trouvait. Elle appela Barry ; on ne lui répondit pas. Il avait déjà filé dehors. Sur la table, elle trouva un quignon de pain et des restes de lard froid. Elle les mangea avec avidité. Il lui semblait n'avoir jamais eu si faim.

Elle sortit un peu plus tard. Il faisait un temps gris, pluvieux, glacial. Elle jeta un dernier coup d'œil autour d'elle, au cas où elle apercevrait Barry. Elle ne le vit nulle part dans cette zone de terrains vagues et de maisons en ruines. Qui savait où il courait déjà ? Qui, déjà, il étourdissait de paroles ? Elle aurait voulu le remercier de ce qu'il avait fait pour elle. Mais elle ne pouvait pas se permettre de l'attendre. Elle avait quitté Hartfield dans un but bien précis, rien ne devait lui faire obstacle. Pas même le charme rieur d'un jeune homme à veste verte… Elle partit d'un bon pas, dans l'intention de visiter le port de Londres.

## 10.
# OÙ TIP EST EN RETARD

S'amarraient là, sur des miles et des miles, le long d'innombrables quais de bois ou de pierre, des dizaines et des dizaines de bateaux. De toutes les tailles. De tous les tonnages. À un, deux, trois, quatre, voire cinq mâts. Lou se dirigea d'un pas résolu vers l'embarcadère près duquel se dressait le plus haut, le plus long, le plus large des navires. Pour naviguer jusqu'à l'île du Crabe, jusqu'au trésor de Red Peter Cockram, elle avait dans l'idée qu'il faudrait naviguer loin et longtemps. Donc le plus vaste, le plus impressionnant des navires lui paraissait nécessaire à ce voyage.

Elle se retrouva bientôt parmi des caisses de bois et des barriques que des hommes soulevaient tour à tour, posaient sur leur épaule ou sur leur dos, ou bien faisaient rouler pour les transborder, par une passerelle branlante, jusqu'au pont du cinq-mâts. Là, de nombreux matelots s'affairaient, se croisaient, certains grimpaient, agiles comme des singes, jusqu'aux plus hautes vergues. D'irritants coups de sifflet retentissaient, stridents, suivis d'ordres pareils à de brefs aboiements, organisant sans doute toute cette agitation dont elle ne comprenait pas le sens.

Un homme, surtout, coiffé d'un tricorne de cuir luisant, aboyait plus férocement que les autres. Toutes les dix secondes, il embouchait un sifflet plat et y soufflait de toutes ses forces – ses pommettes et son front en rougissaient à chaque fois.

Lou hésitait, à quelque distance de la passerelle. Comment faire pour être engagée sur le navire ? Suffisait-il de se présenter à bord et d'annoncer : « Je veux être matelot » ? Mais cela signifiait qu'il faudrait s'adresser à l'aboyeur au tricorne et au sifflet. Déplaisante perspective.

Tout à coup, elle entendit une course derrière elle. Elle se retourna. Un gamin, plus jeune qu'elle, pieds nus malgré le froid et la pluie, la frôla en passant et s'arrêta net, à bout de souffle, au pied de la passerelle, sous le nez de l'aboyeur.

— Ah ! s'exclama celui-ci. Voilà enfin môssieur Tip !

Le gamin, instinctivement, rentra la tête dans les épaules et bredouilla :

— Faites excuse, monsieur Blossom… C'est ma mère qui…

— Votre mère ? le railla l'aboyeur. Môssieur Tip, ce ridicule brimborion, prétend avoir une mère !

Il se pencha sur Tip, le considéra en plissant le nez avec mépris et soudain lui administra la gifle la plus brutale et la plus inattendue que Lou ait vue de sa vie. Le garçon, sous la violence du coup, tournoya sur lui-même et faillit tomber. Mais – et Lou l'admira – il fit l'effort de rester sur ses jambes.

— En position, Tip ! aboya Blossom.

Les genoux tremblants, le mousse se replaça face à lui, le dos raide, une main sur la joue.

— Vous n'avez qu'une seule mère ! La mère des marins et des misérables mousses de votre espèce, Tip, c'est la Royal Navy !

— Oui, monsieur Blossom, articula Tip.

— Votre main. Ôtez votre main !

— Oui, monsieur Blossom.

— En position !

Résigné, le gamin cessa de se frotter la joue et plaça les mains le long de ses cuisses. Blossom se pencha à nouveau. Son nez toucha presque celui de Tip. Par réflexe, le garçon recula la tête et contracta les paupières. Quant à Blossom, il hurlait comme si Tip se trouvait à cent yards.

— Vous n'êtes rien ni personne, Tip ! Et vous arrivez en retard ! Impardonnable !

Blossom se redressa, cambra les reins, tira un gant

blanc de la poche de sa vareuse, l'enfila posément, doigt après doigt, sans cesser de fixer ses petits yeux d'oiseau sur Tip qui tremblait.

Les dockers portant les caisses à bord passaient près d'eux, indifférents. Au sommet de la passerelle, quelques marins, ricanant du spectacle, s'étaient regroupés pour n'en pas perdre une goutte. Blossom, entre le pouce et l'index de la main gauche, lissa l'étoffe du gant habillant sa main droite.

— Au garde-à-vous, Tip ! Et pas de pleurnicheries !

Le mousse obéit. D'où elle se tenait, Lou pouvait voir ses épaules secouées de tremblements convulsifs. Tip ferma les yeux, serra les mâchoires. Blossom l'examina avec un petit sourire méchant, laissa passer quelques secondes, puis le gifla à six reprises, aller-retour.

— Bien, dit-il en retirant son gant. Je ne vous punirai pas plus durement, Tip. Je me sens d'humeur indulgente, ce matin.

Les larmes aux yeux, les joues écarlates et boursouflées, la bouche en sang, le nez enchifrené, Tip répondit, à l'indignation de Lou :

— Merci beaucoup, monsieur Blossom.

— C'est bon, fit l'homme avec un geste méprisant, vaquez, Tip, vaquez !

Lou recula de quelques pas tandis que Tip grimpait à bord, sous les rires et les quolibets des quelques marins qui avaient assisté avec gourmandise à sa punition.

L'un d'entre eux, au passage, lui envoya un coup de pied aux fesses. Tip s'effondra contre une caisse. Les rires redoublèrent.

Tout désir de s'engager sur ce cinq-mâts avait abandonné Lou.

À ce moment, on lui posa la main sur l'épaule.

— Qu'cst-cc quc tu fiches là, toi ? Tu veux t'embarquer ?

C'était le cruel Mr. Blossom, son nez crochu et son regard de corbeau. Elle se déroba, apeurée.

— Non !

Elle s'enfuit.

Elle courut jusqu'à la masure du quartier en ruines. Elle franchit le buisson de ronces, poussa la porte de la cave, la referma vivement derrière elle, comme si Blossom risquait de la poursuivre. « Jamais, jamais je ne serai Tip », se dit-elle.

Elle monta jusqu'à la chambre. Barry s'y trouvait déjà, nonchalamment étendu sur sa paillasse. Il comptait des billets de banque. Un gros portefeuille en cuir acajou était jeté, ouvert comme un livre, sur ses genoux.

— Alors, Lou ? Je te croyais déjà en route pour les mers du Sud !

# 11.
# OÙ LOU APPREND UN NOUVEAU MÉTIER

Dès le lendemain, Barry lui enseigna sa façon de survivre. C'était d'une grande simplicité apparente. Et d'une non moins grande habileté, mais secrète. Professionnelle.

Barry était un pickpocket. C'est pourquoi on pouvait le voir se baguenauder chaque jour dans les plus beaux quartiers de Londres. Il y dénichait ce qu'il appelait sa « clientèle ».

Sa manière de procéder, longuement éprouvée, variait assez peu. Il s'agissait de se fondre dans la foule des hommes d'affaires, des avocats et des banquiers en redingote et cravate de soie, de faire mine de s'y promener le nez au vent, puis semblant de trébucher : Barry, en déséquilibre, heurtait un notaire, un courtier, un industriel. Lequel, en général, poussait un « Haow ! » hautain et dégoûté, puis s'écartait. Barry se confondait en excuses, remettait en place les pans élimés de son habit vert et, après un signe de tête des plus aristocratiques, filait sans demander son reste. Il s'arrêtait sous l'abri d'une porte cochère, s'y adossait et faisait l'inventaire de la bourse ou du portefeuille subtilisé lors de la bousculade.

Lou n'eut aucun mal à le seconder dans son activité. Après tout, elle avait longtemps pratiqué la même, sous une forme certes plus rustique et brutale, derrière la taverne du One-Eyed Jack's.

Elle se contenta d'abord de faire le guet. De nombreux policemen rêvaient de prendre Barry la main dans le sac – ou plutôt dans la poche d'une redingote. Plus tard, elle obtint le droit de participer plus activement : c'était elle qui bousculait leur victime, attirait son attention, pendant que Barry la délestait de son bien.

Leur petite entreprise connaissait des périodes fastes. Ils achetaient alors de quoi préparer un bon repas dans la chambre de leur « palais ». Ils s'empiffraient joyeusement, puis, repus, somnolents, se racontaient leur vie.

Celle de Barry avait été une succession de malheurs qu'il narrait comme une comédie. Orphelin à six ans, il avait été placé chez un oncle qui le battait. Un jour, soûlé de coups, il s'était enfui. Il avait huit ans.

Errant dans les bas quartiers du port, du côté de l'île aux Chiens, il avait été recueilli par un vieux bonhomme qu'on appelait Septimus Crook et qui prétendait descendre d'une grande famille de lords. Il portait ses hardes comme un habit de cour.

C'est Septimus Crook qui avait enseigné à Barry l'art du pickpocket. Il avait fabriqué un mannequin aux poches duquel étaient accrochés des dizaines de grelots. Le petit Barry devait apprendre à y saisir entre deux doigts une bourse, une montre, un portefeuille. Si le moindre grelot tintait, Septimus Crook lui cinglait les fesses à l'aide d'une badine de jonc dont il ne se séparait jamais. Barry n'aimait pas les coups, il apprit vite.

— Et puis le vieux Septimus est mort, dit-il. Je l'ai retrouvé un jour effondré au pied du mannequin. Il a été le premier type auquel j'ai fait les poches. Mais je crois bien que ça ne le dérangeait plus. Depuis, je me débrouille tout seul.

Il leva son verre de vin.

— À la santé de l'illustre Septimus Crook ! Grâce à ce vieux gredin, j'ai de la corne sur les fesses et de la magie dans les doigts ! Et toi ? ajouta-t-il en se tournant vers Lou. Qui étais-tu avant de rencontrer l'extraordinaire Barry ?

Elle lui raconta son enfance à Hartfield, et les frasques de la bande des Devils' Hearts. Il riait. Il réclamait toujours davantage d'anecdotes, tant et si bien que Lou finit par en inventer de toutes pièces. Elle savait bien ce qui plaisait surtout à Barry dans ses histoires : il aurait aimé vivre la même enfance qu'elle, insouciante et farceuse, avec une maison où rentrer le soir, un repas chaud, un âtre et un bon lit.

Et puis, affabuler sur les aventures des Devils' Hearts, c'était aussi pour elle un excellent moyen de ne pas lui dire l'essentiel : qu'elle était une fille. Elle ne parlait que de Louis Marion, le garçon qu'elle avait cru être. Pourquoi lui cachait-elle sa véritable identité ? Elle ne le savait pas précisément. Elle ne voulait pas trop réfléchir à ses propres difficultés à se représenter elle-même en fille. Elle préférait attribuer son silence – et ses efforts quotidiens pour qu'il ne se doute de rien – à une sorte de stratégie née de la nécessité : « Passer pour un garçon me protège », se disait-elle.

Elle aimait beaucoup Barry, elle le trouvait mignon, souriant, insouciant en apparence, drôle, parfait compagnon, en somme. Parfois, quand il lui touchait l'épaule, comme on fait entre bons camarades, elle avait l'envie fugitive qu'il laisse sa main sur elle. Elle en aimait la chaleur, l'amitié – l'affection ? Pourtant elle s'écartait. Elle avait la ferme certitude que, s'il apprenait qu'elle était une fille, son comportement envers elle changerait. Jusqu'à quel point ? Elle préférait ne pas en tenter l'expérience, ce qui reviendrait peut-être à tenter le diable.

Ainsi, avec patience et humour, Barry lui avait enseigné en quelques mois comment faufiler ses doigts dans une poche, un gousset ou un sac et y dérober ce qui vous intéresse. Elle n'était pas très douée : elle manquait de délicatesse. Son enfance lui avait appris à aller droit au but et à cogner pour abattre les obstacles. Les finesses et les tromperies du métier de pickpocket heurtaient sa morale personnelle. Non pas qu'elle jugeât cette activité « immorale » – tirer sa survie de la poche des riches lui semblait au contraire une juste compensation des hasards de la naissance et du destin –, mais elle était heurtée dans sa fierté de devoir agir d'une manière subreptice qu'elle ne pouvait s'empêcher de trouver un peu lâche.

Cependant, elle grandissait en taille et en force, tandis que Barry demeurait le petit jeune homme fluet qu'elle avait rencontré. C'était un bien et un mal.

Un bien, parce que, plus elle devenait solide, moins Barry pouvait deviner la vérité de son sexe. Ils avaient eu quelques échauffourées avec des victimes moins faciles que les autres. Chaque fois, Lou avait « fait le coup de poing ». Elle frappait fort, elle avait du punch et la précision de qui s'est toujours battu. S'il n'y avait pas eu ce sang qui coulait de son ventre chaque mois et qu'elle devait dissimuler à Barry, elle se serait sentie parfaitement bien dans son corps – ce corps, en définitive, ni fille ni garçon ou mi-fille, mi-garçon. Si sa stature avait à présent atteint celle d'un jeune homme de bonne constitution, ses seins étaient restés petits et une bande fortement enroulée autour de son thorax suffisait à les aplatir tout à fait.

Le mal, ou plutôt la difficulté, c'était qu'elle s'attachait de plus en plus à Barry. Elle ne se disait pas qu'elle était amoureuse de lui : elle ignorait que ce sentiment-là existait. Elle se disait simplement qu'elle était capable de tout oser, de tout braver pour aider son jeune compagnon, qu'elle se serait mise en quatre pour lui faire plaisir, et qu'elle ne s'était jamais sentie si proche de quelqu'un.

De toute façon, qu'est-ce que ça signifiait, « être une fille » ? Porter un corset, des jupons, une robe, un chapeau extravagant et malcommode, et baisser les yeux quand on circule dans la rue ? Lou ne voulait pas baisser les yeux. Elle n'avait aucune envie de ressembler aux filles qu'elle croisait – et parfois dépouillait, toujours avec un plaisir particulier – dans les beaux quartiers. Elle avait encore moins envie de devenir l'une de ces femmes de misère harassées de soucis, d'enfants et de malheurs qui peuplaient les bas quartiers du port et de l'East End. Elle ne voulait qu'être elle-même. Ce qui représentait, après tout, une bien compréhensible ambition pour quelqu'un qui ne se sentait ni fille ni garçon...

Quand elle était seule dans le « palais » de Barry, elle sortait le parchemin de sa cachette : un trou dans le mur de la chambre, protégé par deux moellons, où elle gardait aussi sa bourse de pièces d'or. Elle la déployait sur la table, caressait du bout des doigts la croix à l'encre rouge.

— Mon trésor, murmurait-elle.

Quelquefois, elle s'en allait seule du côté du port. Elle assistait à l'appareillage des navires. Il lui arrivait de les suivre longtemps du regard tandis qu'ils descendaient le fleuve en direction de la pleine mer.

Et, psalmodiant à mi-voix cette formule mystérieuse : « *Al letno medna itsirc* », elle rêvait au jour où, enfin, elle s'embarquerait.

## 12.
# OÙ LOU EST EMBARQUÉE

Ce matin-là, ils s'éveillèrent ensemble. D'une paillasse à l'autre, ils se souhaitèrent le bonjour. C'était Barry qui avait institué ces bonnes manières. « Enfin, *old chap*, nous vivons tout de même dans un "palais" ! Comportons-nous en gentlemen ! »

Il se leva le premier. Il ranima le feu dans la cheminée. Il y déposa une poêle pleine de bacon.

— Qu'est-ce qu'on fait aujourd'hui ? lui demanda Lou, en s'étirant sur sa paillasse.

— Comme d'habitude ! répondit-il en se frottant les doigts contre le pouce. Du fric, du blé, de l'oseille !

Lorsqu'il retira la poêle du feu, l'odeur du bacon frit incita Lou à sortir du lit. Alors qu'elle rejoignait

Barry à la table, il leva brusquement la main pour l'arrêter.

— Attends… Écoute… Tu n'entends rien ?

— Quoi ?

Elle ne bougea plus d'un cil, tendit l'oreille. Non. Rien. Elle n'entendait rien. Rien de suspect, en tout cas.

— Tu es mal réveillé, Barry. Et moi, j'ai faim.

Il agita la main avec nervosité.

— Chuuuuttt…

Elle le regarda, amusée : tout mince, tout tendu, tous sens aux aguets.

— Arrête, Barry.

— Je te dis que…

Il n'eut pas le loisir d'achever sa phrase. La porte de la chambre s'ouvrit à la volée. Quatre policemen firent irruption, pistolets pointés.

Barry secoua la tête avec accablement et, résigné, leva les mains. Lou n'était pas, elle, du genre à se rendre aussi vite. Elle voulut saisir un couteau sur la table. Se défendre. « Le défendre », pensa-t-elle. Barry lui attrapa le poignet.

— Ne fais pas l'idiot. On n'a aucune chance.

Quelques instants plus tard, les policemen les menottèrent et les firent descendre sans ménagement jusqu'à la carriole, attelée de deux chevaux, qui attendait, hors de vue, à deux rues de la masure. Quand la portière claqua sur eux, Barry et Lou échangèrent un regard. Tout sourire avait disparu des yeux du jeune homme pour laisser place à un désarroi qui attendrit Lou.

— Je ne supporterai pas la prison…

— Ne t'inquiète pas, lui dit-elle. Je suis là.


Quelques heures plus tard, ils comparaissaient devant un juge. Ce gros homme rougeaud avait posé sa perruque de travers et semblait somnoler comme un matou obèse. Ses lèvres, épaisses, luisantes, ressemblaient à deux répugnantes limaces. Ses yeux couleur d'huître disparaissaient aux trois quarts sous des paupières bouffies.

— John Barry Nicefellow, mâchonna-t-il dans son triple menton, attendu que vous êtes notoirement connu pour être un voleur, un escroc et une honte de la société ; attendu que vous n'avez pas de domicile ; attendu que vous occupez illégalement une maison bourgeoise…

— Une maison bourgeoise ? se récria Barry. Un palais, Votre Honneur, un palais !

— Taisez-vous !

Barry fit un clin d'œil à Louis. Elle fut soulagée de voir qu'il avait recouvré son insolence.

— … attendu que vous flouez sciemment les droits du propriétaire de ladite maison ; attendu que vous vous êtes rendu coupable de multiples vols à tire et autres larcins ; attendu que la Couronne d'Angleterre, dans sa magnanimité, entend accorder, même aux plus mauvais d'entre eux, les devoirs de tout sujet de Sa

Majesté ; attendu que ladite Couronne d'Angleterre consent au pardon de vos crimes…

— Ah ! Merci, Votre Honneur !

— … si vous vous embarquez et servez avec obéissance sur un navire de Sa flotte, la Royal Navy…

— Emb… Embarquer ? gémit Barry, désemparé. Sur un navire ? …

— … Moi, Thomas Arbuckle, juge, je décide que vous serez mis à la disposition des autorités maritimes jusqu'à l'expiration de votre peine, que je fixe à dix ans.

— Excusez-moi, Votre Honneur, mais… Mais considérez que j'ai le mal de mer rien qu'à regarder passer la Tamise… Je ne sais même pas nager !

— La sentence est exécutoire ce jour même ! gronda le juge en frappant du poing sur son pupitre.

— Votre Honneur ! Écoutez-moi ! s'écria Barry, au comble du désespoir.

Tandis que deux policemen l'entraînaient de force hors de la salle d'audience, le juge Arbuckle posa son regard d'huître sur Lou.

— Quant à toi, je ne te citerai pas la liste de mes attendus. Ce sont les mêmes. Tu n'as pas de papiers, pas de nom. Personne ne te connaît. Tu prétends te nommer…

Il approcha un lorgnon de son nez et feignit de relire un papier posé sur son pupitre.

— … Louis Marion Cockram.

Elle n'avait pas voulu donner sa véritable identité,

de peur que l'on fasse des ennuis à sa mère et à sa grand-mère. Lors de l'interrogatoire, elle avait livré le premier nom qui lui était passé par l'esprit, et ç'avait été celui de Jambe-de-Bois.

— J'ai connu un Cockram, poursuivait le juge Arbuckle. On l'appelait Red Peter. Une belle crapule… Tu as un lien de parenté avec lui ?

— Non, Votre Honneur.

— Voilà qui plaide au moins en ta faveur. Ce Red Peter Cockram était un gibier de potence. Il s'est fait engager comme cambusier sur un navire de Sa Majesté et il a fomenté une mutinerie. On ne l'a jamais retrouvé depuis. Rien que ton nom me donnerait envie de te faire pendre. À défaut du véritable Cockram.

Le juge fit mine de réfléchir, à moins qu'il ne fût en train de s'assoupir. Après un long silence, il sursauta, se pourlécha les lèvres et annonça :

— Attendu tous les attendus, etc., je te laisse le choix : la pendaison, la prison ou la Royal Navy. Je t'écoute.

Lou se rappela Tip, le mousse, et l'aboyeur à tricorne qui le maltraitait. Mais une seule chose importait : être avec Barry. Le protéger.

— Je servirai la Royal Navy, Votre Honneur.

— Très bien ! On ne te pendra peut-être pas ici, mais les navires de Sa Majesté ont des vergues qui feront sûrement l'affaire.

Il tapa du poing sur la table.

— Emmenez-moi ça à bord de la *Princess* !

# 13.
# OÙ LOU EMBARQUE

L'ironie du sort voulut que la *Princess* fût une frégate qui, au premier coup d'œil ébloui de Lou, lui parut infiniment plus racée que l'énorme cinq-mâts sur lequel elle avait voulu embarquer, un an plus tôt. Elle n'eut cependant guère le temps d'admirer son allure et son gréement, car on la jeta à fond de cale, en compagnie de Barry.

— Quand on sera en mer, leur dit un policeman, on vous fera monter sur le pont. Et vous aurez intérêt à obéir et à travailler. Compris ?

Elle se retrouva enchaînée au côté de Barry. Leurs pieds trempaient dans une flaque d'eau croupie. En face d'eux, un petit gars blond semblait dormir. Sa mâchoire, relâchée, pendait bizarrement de travers.

Les bracelets de fer meurtrissaient les poignets et les chevilles de Lou. À peine bougeait-elle pour s'installer dans une position moins inconfortable, ils lui déchiraient la peau.

— Ça va ? demanda-t-elle à Barry.

— Je nage dans le bonheur, répliqua-t-il en tapant du pied dans la flaque du fond de cale. Tu as une autre question ? Aussi intelligente ?

— Comment on va se sortir de là ?

Il se tortilla pour tâcher de s'allonger sur le flanc.

— Deuxième question intelligente. Tu te surpasses, Lou.

Elle examina les fers qui la maintenaient prisonnière. Aucun espoir de ce côté-là.

— Essaie avec les dents, persifla Barry.

— Ce ne sont pas tes sarcasmes qui nous aideront, répliqua-t-elle.

Il haussa les épaules sans répondre.

Depuis qu'ils étaient enfermés, ils avaient été environnés de bruits – coups de sifflet, aboiements d'ordres, galopades, chocs sourds et raclements sur le pont, grincements de poulie, appels brefs – qui se répercutaient dans la cale comme dans le creux d'un tambour. Enfin le navire parut se mettre en mouvement.

— Tu crois qu'on part déjà en mer ? demanda Barry, les traits soudain décomposés par l'angoisse.

— C'est le principe du bateau, non ? rétorqua-t-elle, contente de pouvoir se moquer de lui à son tour.

— Ne plaisante pas, Lou. Je te jure, la mer… c'est pas mon élément !

Son teint virait au vert. Il semblait vraiment malade. Malade d'anxiété. Elle chercha comment le réconforter.

— Ferme les yeux. Pense à autre chose.

— Non, non… Quand je ferme les yeux, c'est pire…

— Respire, Barry. Respire calmement.

Il lui obéit, s'appliquant à emplir et à vider ses poumons avec calme. Elle ne put s'empêcher de sourire.

— Barry, on dirait que tu cherches à gonfler une baudruche… Respire, c'est tout. Ne souffle pas, respire.

Le navire tangua légèrement, ce qui fit monter un long gémissement dans la gorge de Barry. Ils quittaient le quai. Bientôt ils sortiraient du port en direction de la mer.

Elle se rappela la carte de Red Peter Cockram qu'elle avait laissée dans sa cachette, le trou dans le mur du « palais ». Mais ça n'avait pas d'importance. Elle avait tant consulté cette carte que désormais elle pouvait se la représenter, telle exactement qu'elle était dessinée, rien qu'en fermant les yeux. Elle en connaissait par cœur le tracé, les noms et les énigmes. « *À partir du troisième arbre au nord, douze pas vers l'aube, deux vers le crâne, trois vers l'oiseau rouge* », murmura-t-elle tandis que le navire la berçait et que lui parvenaient, étouffés, les ordres criés à pleine voix et le pas rythmé des matelots se déplaçant sur le pont.

— 22,17, N, 68,14, W…

— Lou… Qu'est-ce que tu marmonnes ?

Elle ne répondit pas. La trappe menant à leur cale s'était ouverte. Un homme descendit par l'échelle, puis un autre.

Le dos courbé pour ne pas se cogner au plafond trop bas, ils s'approchèrent des trois prisonniers. Il faisait très sombre. Lou distinguait à peine leurs visages. Le premier, grand et large d'épaules, attrapa le petit gars blond par les cheveux.

— Celui-là, il était mousse, dit-il.

— Pourquoi il est là ? demanda l'autre.

— Il a attaqué Blossom, le maître d'équipage de la *Belle-Poule*, avec une lame.

Lou comprit avec horreur qu'il s'agissait de Tip.

— Il est pas le seul à en avoir eu envie !

Ils ricanèrent. Puis le plus grand relâcha les cheveux du mousse, dont la tête retomba sur la poitrine.

— Il servira plus à rien, fit-il remarquer. Il a crevé.

— On fera nettoyer ça tout à l'heure. Voyons les autres.

Ils se tournèrent vers Barry et Lou qui, déconcertée, essayait de se rappeler où elle avait déjà entendu cette voix.

— Alors, ceux-là ?

— Des condamnés. Il nous manquait un mousse et un gabier, le juge Arbuckle nous les a offerts.

— Vérifions la marchandise.

La plus petite des deux silhouettes se pencha sur Barry.

— Un gringalet. Regarde-le : il est malade. Le juge s'est foutu de nous. Je te parie qu'il sortira pas vivant de la cale.

*Cette voix...*

— Va voir l'autre, si c'est pareil.

Les deux hommes se faufilèrent du côté de Lou. Elle empoigna ses chaînes et se hissa en arrière, comme si elle pouvait leur échapper. *Elle connaissait cette voix.*

— Te fatigue pas, t'iras pas loin comme ça...

La silhouette la plus petite eut un geste d'impatience.

— Lève ta lampe, bon dieu ! J'y vois rien.

La lanterne sourde se balança devant le visage de Lou.

— Voilà ! C'est mieux ?

— Ouais, ça ira...

*Oh, non, cette voix...* Un vieux souvenir. Datant de plus d'une année. Mais qu'elle reconnaîtrait toujours.

L'homme se pencha dans le halo de lumière. Son visage apparut, accusé d'ombres bistre. Il portait un bandeau rouge sur l'œil gauche. Et, de son œil valide, vivant, il la dévisageait comme un serpent sa proie. Un œil d'un marron très clair, presque jaune, pareil à celui d'un chat.

Lou s'efforça de ne rien montrer de ses sentiments – de l'horreur et de la crainte que lui inspirait ce faciès borgne et malveillant. L'œil jaune brûlait d'une lueur curieuse, sournoise et cruelle.

— Dis donc, toi… On ne s'est pas déjà vus quelque part ?

Il se pencha encore davantage. Leurs visages se touchaient presque. Elle pouvait respirer son odeur, qu'elle trouva écœurante.

— Je m'appelle Jonathan Skyrm. Et toi ?

# Deuxième époque

## La route de Baltimore

# 14.
## OÙ LOU S'AMARINE

La frégate HMS *Princess* quitta les côtes d'Angleterre le 30 mai 1775. Cap à l'ouest, pour le port de Baltimore. Le navire, apprendrait plus tard Lou, transportait une cargaison d'armes à destination des troupes britanniques et des mercenaires hessiens qui combattaient les *insurgents* en Amérique, où la guerre d'Indépendance faisait rage.

Lou et Barry passèrent leur première nuit aux fers, à fond de cale. Une nuit où elle s'était appliquée à réconforter du mieux possible un Barry malade d'angoisse comme un enfant livré à ses pires cauchemars. Elle ne lui avait pas confié qu'elle aussi s'était retrouvée face au plus affreux cauchemar que la fatalité pouvait mettre sur sa route : Skyrm. L'impitoyable et sournois Skyrm, qui leur avait appris que désormais ils seraient directement sous ses ordres, car il était le maître d'équipage du vaisseau, secondé par son inséparable LaBouche.

Cependant, la chance – ou, plus certainement, l'année écoulée qui l'avait vue grandir, forcir, changer – avait voulu que le borgne, après l'avoir longtemps dévisagée dans la pénombre de la cale, n'ait pas reconnu en elle le gamin qui l'avait floué de la carte de Red Peter Cockram, un certain soir à Hartfield.

Quant à Lou, jamais à court de ressources morales, elle avait décidé de ne pas se laisser effrayer plus que de raison par cette dangereuse rencontre. Après tout, si la Providence l'avait enfermée dans le même navire que Skyrm et LaBouche, c'était peut-être le signe qu'elle était sur le chemin de l'île du Crabe.

Ne s'était-elle pas rendue à Londres afin d'embarquer à la recherche du trésor de Jambe-de-Bois ? Eh bien, elle avait embarqué, et peu importait à la suite de quelles circonstances. L'affreux Jonathan Skyrm ne convoitait-il pas lui aussi ce trésor ? Eh bien – et c'était le cas de le dire –, ils étaient dorénavant dans le même bateau. Pourquoi s'inquiéter de l'avenir ? La Providence ferait sans doute encore des siennes. Il n'y avait qu'à patienter et endurer. Et avant tout survivre.

Car, tandis que le pauvre Barry gémissait misérablement à son côté, elle se disait que cela menaçait d'être la première et la plus difficile des tâches à accomplir :

survivre dans ce milieu inconnu et hostile, une frégate de Sa Majesté partie pour un voyage au long cours avec pour maître d'équipage Skyrm le borgne.

Le lendemain matin, on les avait délivrés et mis au travail sur le pont. Lou avait pris le poste de gabier, Barry celui de mousse. Dès ce premier jour de leur service, Lou avait dû s'employer à le protéger. Lui qui ne craignait rien dans les rues de Londres et défiait les policemen et la misère, n'avait pas sa place sur un navire.

Le mal de mer l'avait fait vomir pendant des jours. Mais, aussi surprenant que cela parût à Lou, il n'épargnait pas non plus d'autres membres de l'équipage. Certains matelots, pourtant très aguerris, n'avaient pas le teint moins verdâtre que Barry, le mousse malgré lui. Jeremiah Garrett, le vieux marin qui tenait la cambuse, lui expliqua que tout le monde – « même le fameux Francis Drake », précisa-t-il – souffrait un jour ou l'autre du mal de mer.

— Moi-même, ajouta-t-il, une certaine houle, lente et bosselée, me retourne l'estomac à tel point qu'il y a des jours où je me promets de ne plus jamais embarquer et de me faire gardien de vaches !

Malheureusement, Barry souffrait également d'un mal interdit à tout marin : le vertige. La seule idée d'avoir à escalader la mâture le faisait presque tourner de l'œil.

Pendant quelque temps, profitant de la lenteur d'esprit de LaBouche, à qui était dévolu l'amarinage des bleus, Lou parvint à lui épargner le travail dans les hauteurs du gréement en prenant sa place dès qu'un ordre était lancé. Mais on n'abusait pas longtemps la cruelle vigilance de Jonathan Skyrm.

Il avait repéré le manège des deux nouveaux embarqués et, elle en était sûre, il n'attendait plus que le moment propice pour envoyer Barry risquer sa vie dans la voilure. C'est-à-dire un moment où Damon Dalglish, le premier lieutenant, ne serait pas dans les parages pour intervenir si l'affaire se révélait devoir être fatale au jeune homme, comme l'espérait bien Skyrm qui se délectait des mauvais tours qu'il pouvait jouer sans courir lui-même le moindre risque.

Lou se retrouvait ainsi à devoir régler trois problèmes différents mais inextricablement liés.

D'abord, détourner l'attention du maître d'équipage quand Barry filait se cacher au moment de grimper au mât. Cela l'obligeait, la plupart du temps, à attirer cette attention sur elle. Or, elle aurait grandement préféré passer inaperçue, se confondre avec le décor, car – deuxième problème – elle redoutait à tout moment d'être enfin reconnue par Skyrm comme le gamin qui l'avait frappé à coups de bâton un soir à Hartfield. À quoi s'ajoutait, troisième problème, sa crainte constante, dans la terrible promiscuité du navire, que quelqu'un ne finisse par surprendre ou deviner son secret le plus intime : qu'elle était une fille.

Elle dormait dans le gaillard d'avant, avec les sept autres gabiers. Ce n'étaient pas de mauvais bougres, mais ce n'étaient pas non plus précisément des gentle-men. Les brimades infligées aux nouveaux embarqués faisaient partie de leurs rudes traditions. Sa fierté naturelle et le souci de dissimuler sa féminité ne la préparaient guère à les accepter de bon gré. Surtout quand il fut question de les déshabiller, Barry et elle, et de les barbouiller d'une infâme mixture à base de goudron.

Cela se passait à la fin de la première semaine de navigation. La *Princess* filait à sept nœuds dans la nuit d'un océan étonnamment étale. L'équipage savait que l'officier de quart, ce soir-là, était l'enseigne de deuxième classe Jasper Abercrombie, un petit jeune homme frais émoulu de l'École navale et qui, disaient-ils, « bavait encore le lait de sa mère » – bref, qui était si dénué d'expérience et d'autorité qu'on ne craignait pas de le voir intervenir.

L'idée du bizutage des bleus avait été lancée par LaBouche, gabier peu aimé mais très redouté des autres parce qu'il passait pour le favori et l'espion de Jonathan Skyrm. Très vite, la proposition avait été adoptée à l'unanimité. Il n'y avait pas tant de distractions sur le navire, voilà qui les amuserait un moment. Barry n'avait rien entendu des intentions des matelots, il s'était endormi lourdement dans son hamac, épuisé par sa journée. Mais rien n'avait échappé à Lou.

Elle ne s'affola pas. Certes, ils étaient nombreux et la cabine, étroite. Elle avait peu de chances de leur échapper. Mais qui ne tente rien n'a rien. Il fallait prendre l'initiative.

Lorsqu'elle sentit qu'ils approchaient, elle bondit hors de son hamac. Comme elle s'y attendait, LaBouche se tenait en avant des autres.

— Moi aussi, j'ai envie de me distraire ! s'écria-t-elle.

Et elle lui envoya un violent coup de poing. Il tomba à la renverse, obligeant les autres à reculer. Il se roula sur le sol en gémissant, les mains sur le visage, le nez en sang.

— Il y en a un autre qui veut rigoler ? demanda Lou.

— Petit, lui dit Yeats, le plus vieux des gabiers, t'aurais pas dû faire ça. On voulait juste honorer la tradition. Tous les bleus en passent par là.

— Eh bien, on va faire une exception.

— Même si c'est pas pour ce soir, tu sais, le voyage est long. On aura plein d'autres occasions.

Pendant que le vieux Yeats parlait, les autres, insensiblement, se rapprochaient, dans l'intention d'encercler Lou. La manœuvre ne lui échappa pas. Elle avisa une bouteille qui roulait sur le sol, à ses pieds, elle s'en saisit, en brisa le cul contre une poutre et la brandit devant elle comme une arme. Réveillé en sursaut par le bruit, Barry leva un regard ensommeillé par-dessus son hamac.

— Qu'est-ce qui se passe ?

— Rien, ne t'en fais pas, lui dit Lou, puis, menaçant les matelots de ses tessons de verre, elle ordonna : Retournez vous coucher. Vite ! Je ne plaisante pas.

— Tu as tort, petit, fit Yeats, ton attitude n'est pas correcte. Tu vas la regretter…

— Ne t'inquiète pas pour moi.

— J'suis pas inquiet.

À peine eut-il prononcé ces mots, Lou fut ceinturée par-derrière. Avec un grognement de rage, elle s'ébroua pour tenter de se dégager, sentit qu'elle était plus forte que son agresseur, mais déjà les gabiers s'étaient précipités sur elle. Ils la désarmèrent, la maîtrisèrent. Barry voulut venir à son aide, il reçut une gifle qui l'envoya valdinguer à l'autre bout de la cabine.

— Je me doutais que tu étais une forte tête ! Mais là, tu es allé trop loin, mon gars, tu vas le payer !

Skyrm le borgne lui éructait dans la figure, l'œil étincelant de méchanceté. C'était lui qui, entré en catimini dans la cabine, l'avait ceinturée. Elle se retint de lui cracher au visage. Elle savait qu'il n'attendait que ça pour lui infliger la punition en vigueur sur les navires de Sa Majesté pour outrage à un supérieur : deux ou trois douzaines de coups de fouet. Elle ne lui ferait pas ce plaisir. D'ailleurs, elle se disait que tout était fini, qu'ils allaient la déshabiller, que son secret serait révélé aux yeux de tous et qu'ensuite… Elle préférait ne pas même imaginer ce qui lui arriverait ensuite. En fureur, les joues couvertes de sang, LaBouche s'apprêtait à lui arracher sa chemise.

— Monsieur Skyrm !

La voix avait claqué, nette et autoritaire. Il y eut un moment de flottement parmi les gabiers. Quant à

Skyrm, il changea aussitôt d'expression et, se tournant vers le nouvel arrivant, lui sourit avec une feinte amabilité.

— Hé, quel plaisir de vous voir, monsieur Dalglish ! Je ne vous savais pas de quart ce soir ?

— Que se passe-t-il ici, Skyrm ?

Damon Dalglish, premier lieutenant de la *Princess*, était un homme d'environ vingt-cinq ans, grand et bien bâti, froid comme un poisson mais étrangement séduisant, toujours impeccablement serré dans son uniforme coupé par le meilleur tailleur de Savile Row. Cadet d'une famille de vieille aristocratie, il représentait la véritable autorité sur le navire, suppléant à la mollesse du capitaine, sir James Finch, un gros homme qui passait plus de temps à dormir dans sa cabine et à suçoter des sucreries qu'à commander sur la dunette. Ses yeux noirs toisaient Skyrm avec sévérité.

— Eh bien, Skyrm ? J'attends une explication.

— Oh ! c'est tout simple, monsieur Dalglish... Les hommes voulaient accueillir les deux bleus comme on le fait dans la marine. Vous savez ce que c'est, ils aiment les bonnes vieilles traditions...

— Abrégez, Skyrm.

— Comme vous voulez... Cet insolent de Louis a frappé LaBouche. Voyez vous-même : il lui a cassé le nez.

Dalglish examina tour à tour la figure de LaBouche, puis celle de Lou. Il esquissa un geste.

— Lâchez ce matelot. Écartez-vous.

Les gabiers obéirent sans un mot. On n'osait pas même maugréer quand il donnait un ordre. Lou arrangea sa chemise, en se demandant quel tour allaient prendre les événements. Les bagarres étaient sévèrement punies, elle le savait. Elle n'échapperait décidément pas au fouet. D'ailleurs, c'était ce que Skyrm suggérait, de la voix doucereuse qu'il prenait pour s'adresser aux officiers :

— Vous serez de mon avis, sir : ça mérite un juste châtiment.

Dalglish l'ignora. Il s'approcha de Lou et promena un regard curieux sur son visage et ses épaules.

— D'où viens-tu ? lui demanda-t-il.

— J'ai grandi dans le Leicestershire, à Hartfield, sir. Mais je suis née à Londres.

Elle était troublée par ces yeux noirs qui se faisaient de plus en plus insistants.

— Pourquoi t'es-tu enrôlé sur la *Princess* ?

— Il n'a pas eu le choix, intervint Skyrm. C'est le juge Arbuckle qui nous l'a envoyé.

— Dis-moi, Louis, quel délit as-tu commis ?

— J'avais faim, j'ai volé.

— Ils disent tous ça, fit le maître d'équipage.

— Je ne crois pas vous avoir adressé la parole, Skyrm, dit sèchement Dalglish.

— Pardon, sir.

Les yeux noirs du premier lieutenant poursuivaient leur examen. Lou se sentait rougir.

— Je t'observe depuis l'appareillage. Tu es le gabier le plus agile et le plus téméraire que j'aie vu de ma vie, dit Dalglish. Et tu es capable de casser le nez à un gaillard comme LaBouche. C'est... déconcertant.

— Pourquoi déconcertant, sir ?

Il ébaucha un sourire.

— Je crois que tu le sais.

Elle se troubla encore davantage. Se pouvait-il que, d'un seul regard, il ait deviné ce que personne... ? Il se retourna brusquement vers le maître d'équipage et ses hommes.

— Monsieur Skyrm, non seulement vous avez encouragé, mais de plus vous avez prêté votre concours à une pratique que je réprouve. Vous ne l'ignoriez pas, aussi suis-je en droit de considérer cet incident comme le résultat d'un acte d'indiscipline de votre part. Vous connaissez le châtiment prévu par le code de la marine ?

Skyrm avait blêmi. Les dents serrées, il maugréa :

— Oui, sir. Mais...

— N'aggravez pas votre cas, Skyrm, en contestant. Je suis disposé à passer l'éponge, pour cette fois. Que je ne vous y reprenne plus. Ni aucun d'entre vous, ajouta-t-il en embrassant du regard le groupe des gabiers. Nous sommes bien d'accord ? Parfait.

Après un dernier coup d'œil sur Lou, il se dirigea vers la porte de la cabine.

— Louis, Barry, prenez vos sacs et installez-vous dans la cambuse avec le vieux Garrett. Vous y dormirez jusqu'à nouvel ordre.

Ainsi, l'un des principaux problèmes de Lou avait été miraculeusement réglé par l'intervention du premier lieutenant Damon Dalglish. Elle avait emménagé dans la cambuse et, si l'endroit était inconfortable et puait la graisse rancie, elle était sûre d'y dormir à l'abri d'éventuelles représailles.

Restaient les agrès. Car l'essentiel des journées se déroulait dans la mâture, où n'importe quel gabier, et surtout LaBouche, pouvait chercher à se venger d'elle. Elle dut dès lors se montrer de la plus grande prudence lorsqu'elle évoluait dans les espars. Une « maladresse » est bien vite arrivée.

De Skyrm, en revanche, elle ne craignait pas grand-chose. Elle avait jugé l'homme : capable de toutes les bassesses et de tous les coups fourrés quand il ne risquait rien, mais docile et mielleux s'il redoutait le moindre ennui. Or, le premier lieutenant Dalglish l'avait clairement prise sous sa protection.

Quelques jours après son intervention, il l'avait convoquée, un soir, dans sa cabine. Elle s'y était rendue avec appréhension : que pouvait-il avoir à lui dire en particulier ? Réputé pour sa froideur de gentleman, il ne frayait avec personne sur le navire, pas même avec les officiers.

Elle le trouva à demi allongé sur sa couchette, fumant distraitement la pipe. C'était la première fois qu'elle le voyait sans qu'il soit étroitement sanglé dans son uniforme. La chemise ouverte sur une poitrine musclée, les cheveux noirs libérés du catogan, il la surprit et l'embarrassa par sa beauté à la fois virile et sensuelle. On aurait dit un autre homme, très différent de l'officier rigide qui régnait sur la dunette.

— Vois-tu, commença-t-il sans ambages, tu m'intrigues, Louis, et tu m'intéresses. Nous nous ressemblons : nous ne sommes pas à notre place sur ce navire, et pourtant nous y sommes les deux meilleurs marins. Qu'en dis-tu ?

— Je n'ai pas assez d'expérience pour en juger, sir, mais il me semblait que vous étiez parfaitement à votre place.

— Parlons plutôt de toi, veux-tu ? Quel effet cela te fait-il d'être enfermé parmi tous ces hommes ?

Lou sentit son cœur battre plus vite. Que signifiait cette question ? Elle craignait de ne le savoir que trop.

— Je ne comprends pas, sir.

Il rit doucement.

— Mais si, tu me comprends parfaitement. J'ignore quelles circonstances ont fait de toi ce que tu es. Quoi qu'il en soit, j'admire comment tu t'en sors.

— Je vous remercie, sir, mais je ne comprends toujours pas.

— Allons ! Mettons un terme à cette supercherie.

Rapide et souple comme un chat, il se leva de sa couchette, fut debout face à Lou, saisit des deux mains les revers de sa chemise et l'ouvrit d'un geste sec. Elle rougit jusqu'aux oreilles. Il lui sourit, puis promena son index sur la bande de tissu qui lui comprimait les seins.

— Dois-je arracher cela aussi, Louis ? Ou serait-ce plutôt : *Louise* ?

Elle reprit ses esprits. Elle se dégagea, songea à prendre la fuite, comprit que ce serait inutile et stupide. Arrangeant les pans de sa chemise sur sa poitrine, elle se résolut à faire face à Dalglish.

— Allez-vous me dénoncer, sir ?

— Te dénoncer ? À qui ? Je suis le maître à bord, si l'on excepte ce verrat de capitaine Finch ! Non, non, ma chère, je partagerai ton secret sans l'ébruiter.

Elle ressentit un intense soulagement.

— Je vous en suis reconnaissante, sir.

— Garde ta gratitude pour plus tard. Sais-tu ce que nous allons faire ? Un échange de bons procédés.

— … C'est-à-dire, sir ?

Il se remit sur la couchette et ralluma sa pipe.

— Tu es courageuse, agile, intelligente, tu sais te battre. J'ai l'intention d'employer tous ces talents. À mon heure. Serais-tu prête à me suivre, quoi que je te demande ?

Elle hésita. Mais avait-elle vraiment le choix ? Il connaissait son secret – et, d'autre part, elle n'était pas insensible à sa séduction.

— Je vous écoute, sir.

— Voilà. Le mystère de ta vraie nature – ou devons-nous dire : « ton vrai genre » ? –, je ne le révélerai à personne. Tu peux également compter sur moi pour tenir Skyrm et ses gabiers en respect, si jamais ils s'avisaient de se revancher de l'autre soir. En échange, voici ce que j'attends de toi.

Il tira une bouffée pensive de sa pipe et reprit :

— Dans quelque temps, il arrivera des événements assez... inattendus. J'aurai alors besoin de toi. Je te réclamerai une obéissance et une loyauté totales. Qu'en dis-tu ?

— Je suis à vos ordres, sir.

— Entendons-nous bien : quoi qu'il arrive, quoi que tu penses, je ne tolérerai aucune hésitation de ta part.

— Je ne peux pas vous demander davantage d'explications ?

— Tu ne peux pas.

Lou réfléchit un instant. Elle ne pouvait se représenter ce que Dalglish avait derrière la tête. Elle ne pouvait non plus refuser. Aussi charmeur soit-il, le lieutenant exerçait sur elle un chantage. Ou fallait-il plutôt dire : bien qu'il exerçât un chantage sur elle, elle subissait tellement son charme qu'elle n'avait aucun désir de lui déplaire ?

— Je vous suivrai, sir.

— Aveuglément ?

— Aveuglément.

Il la dévisagea un moment de ses beaux yeux noirs, un sourire flottant sur ses lèvres.

— Tu peux disposer, Louis, fit-il avant d'ajouter à mi-voix : Décidément, ce prénom me gêne...

— Barry m'appelle Lou, sir.

— Va pour Lou.

— À propos, sir : puis-je compter que vous veillerez sur Barry comme sur moi-même ?

Il sourit malicieusement.

— C'est ton petit ami ?

Elle rougit encore une fois.

— Sûrement pas ! Il ne sait pas que... enfin, la vérité.

— Depuis combien de temps vous connaissez-vous ?

— Un an, sir.

— Dans ce cas, quel petit imbécile ! dit-il entre ses dents avant de lui faire signe de se retirer.

— Bonne nuit, sir.

Elle s'en alla, des questions sans réponse tourbillonnant dans son esprit. Qu'allait-il se passer ? Que seraient ces « événements inattendus » ? Que Dalglish lui demanderait-il de faire dont il ne pouvait lui parler à l'avance ? Serait-ce criminel, ignoble, infamant ? Non, elle n'imaginait pas qu'un homme tel que lui puisse un jour la contraindre à un acte de la sorte.

Quand elle le retrouva dans la cambuse où ils avaient suspendu leurs hamacs, Barry lui demanda ce que lui voulait Dalglish. Son premier mouvement fut de le mettre dans la confidence, puis elle se rappela que lui ne savait toujours pas qu'elle était une fille et qu'elle ne pourrait lui parler de l'accord conclu avec le lieutenant sans le lui révéler.

Elle se rendit alors compte qu'elle lui en voulait, au fond, de continuer à la prendre pour un garçon. Dal-

glish n'avait pas tort : fallait-il que Barry soit bête, qu'il
n'ait ni d'yeux ni aucune sensibilité, fallait-il qu'il soit
resté gamin pour ne pas voir ce qu'un homme, un vrai,
tel que le premier lieutenant, avait deviné aussitôt !

— Rendors-toi, grogna-t-elle, ça ne te regarde pas.

Blessé, il se retourna dans son hamac en bougon-
nant. Elle regretta immédiatement son attitude, mais
se consola en se disant que, désormais, il n'aurait plus
rien à redouter de Skyrm puisque le lieutenant la protégerait et qu'elle protégerait Barry.

Ce qu'elle n'avait pas prévu, c'est que le maître
d'équipage, puisqu'il la savait intouchable, trouverait
le moyen de prendre sa revanche contre elle en en-
voyant Barry dans la mâture en l'absence de Dalglish.

## 15.
# OÙ MONSIEUR DALGLISH
# SE PROMÈNE LA NUIT

La *Princess* naviguait depuis bientôt trois semaines. Après avoir longtemps gardé le cap plein ouest, Dalglish, quelques jours plus tôt, l'avait fortement infléchi sud-sud-ouest. Le tropique du Cancer avait été franchi l'avant-veille, et le navire, porté par l'alizé, filait à belle allure sur une mer calme.

Alors qu'elle était juchée sur la vergue de brigantine, Lou avait surpris le lendemain cette conversation entre le premier lieutenant Dalglish et le capitaine Finch, qui était monté sur la dunette et s'épongeait le front.

— Quelle chaleur, monsieur Dalglish… En vingt ans de service, je n'ai jamais pu m'accoutumer à cette touffeur tropicale. Il faut être un sauvage pour survivre sous ces latitudes !

— Certainement, capitaine.

— Mais, au fait, expliquez-moi : pourquoi avoir modifié le cap et nous avoir fait descendre jusqu'ici ? Ce n'est pas la route la plus courte pour Baltimore.

— Mais c'est la plus sûre, capitaine. Nous évitons les risques de tempête que nous aurions pu rencontrer plus au nord. Ainsi que les vaisseaux français ou espagnols. Et puis, j'ai toujours préféré prendre l'alizé pour traverser l'Atlantique. Vent rapide et constant, n'est-ce pas, capitaine ?

— Certes, certes, l'approuva Finch qui dégoulinait de sueur et avait déboutonné la vareuse de son uniforme. Mais, dans ce cas, pourquoi ne l'avoir pas pris plus tôt ?

— J'ai voulu vous épargner le plus longtemps possible les désagréments de la chaleur, capitaine.

— Oh ! Charmante attention, monsieur Dalglish ! Vraiment ! D'ailleurs, vous êtes bien d'accord avec moi ? Cet air humide est malsain. Malsain.

Et, répétant ce mot : « malsain », le gros Finch reprit le chemin de sa cabine. Perchée dans la misaine, Lou remarqua le lourd regard noir dont Dalglish le suivit jusqu'à ce qu'il disparaisse dans les profondeurs du gaillard d'arrière.

Deux jours plus tard, elle fut réveillée en sursaut dans la cambuse.

— Qu'est-ce qui se passe ?

— Rien, rien, chuchota la voix de Barry. C'est moi. J'ai trébuché sur une marmite…

— Il est plus de minuit. D'où viens-tu ?

— Chut…

Elle le vit dans la pénombre se pencher sur le vieux Garrett. Le cambusier ronflait, la bouche entrouverte. Barry s'approcha du hamac de Lou.

— Regarde. Et surtout savoure.

Il lui fourra dans la main de petits objets ronds et poisseux. À l'odeur, puis au goût, elle reconnut les friandises au chocolat du capitaine Finch.

— Où as-tu pris ça ?

— Où veux-tu ? Dans la cabine du gros bonhomme, pardi !

— Tu es complètement inconscient, Barry ! Tu sais ce que tu risques, si tu te fais prendre ?

— Aucune chance, rigola-t-il, la bouche pleine. Je suis peut-être aussi à mon aise sur cette barcasse qu'un chat au fond d'un étang, mais je n'ai rien perdu de mes talents.

— Il y a longtemps que tu… ?

— Que je visite la cabine du capitaine ? Dès que j'ai faim d'autre chose que de cette viande pourrie qu'on nous sert à tous les repas. Depuis qu'on navigue sous cette chaleur, le gros bonhomme roupille comme s'il avait pris un coup sur la tête. On pourrait danser la farandole autour de sa couchette sans qu'il ouvre un œil.

— Imagine que Skyrm ou LaBouche te surprennent…

— Rassure-toi, je suis prudent.

Ils se turent, le temps de profiter du plaisir que leur procuraient le sucre et le chocolat fondant sur leur langue.

— Lou, demanda-t-il, le lieutenant Dalglish était de quart, cette nuit ?

— Je ne crois pas. Pourquoi ?

— Figure-toi que lui aussi jouait les ombres sur le pont.

— Qu'est-ce que tu veux dire ?

— Eh bien, j'allais descendre dans le carré quand tout à coup j'ai cru entendre des pas qui en montaient. Les pas de quelqu'un qui se déplace avec beaucoup de précaution. J'ai filé me cacher. Qui j'ai vu sortir sur la dunette ? Le premier lieutenant. Habillé tout en noir, culotte, chemise et bottes… Il a jeté un coup d'œil aux alentours comme s'il craignait qu'on le voie. Après quoi, il est descendu sur le pont, silencieux comme un spectre, et il a disparu.

— Disparu ? Comment ça ?

— Attends. Je suis allé faire mes petites affaires dans la cabine du capitaine et, vite, je suis remonté. J'avais peur de tomber nez à nez avec le lieutenant mais je ne l'ai pas vu. Je suis parti pour retourner à la cambuse et, sur le chemin, qu'est-ce que je vois ? Une trappe mal fermée et un rai de lumière. Je suis curieux, c'est dans mon caractère. Alors je suis allé voir ce que c'était.

Il s'enfourna une autre sucrerie dans la bouche.

— Dé-li-cieux…

— Alors ? demanda Lou, impatientée.

— Alors la lumière venait de l'entrepont, là où se trouvent les canons, je ne sais pas comment ça s'appelle – ils ont des noms pour n'importe quoi, dans leur marine… Et là, j'ai vu, tout en noir, une lampe sourde à la main, Dalglish penché sur l'un des canons. Étonnant, non ?

Elle réfléchit un instant, puis haussa les épaules.

— Qu'est-ce qu'il y a d'étonnant ? Il est premier lieutenant, il inspecte les canons, c'est normal, ça doit faire partie de son service.

— En plein milieu de la nuit ? Déguisé comme un monte-en-l'air ? Tu parles !

— Tu as trop d'imagination, Barry.

— Ah ouais ? À un moment, j'étais sur l'échelle, je n'ai pas vu quelque chose qui était posé sur une marche, je l'ai heurté du pied, ça a roulé sur le plancher avec un bruit… Je me suis dit : « Barry, t'es mort ! » Eh bien, tu sais comment a réagi Dalglish ? Il s'est caché derrière le premier canon… Et ça, c'est de l'imagination ?

Déconcertée, Lou ne répondit pas. Le comportement du premier lieutenant paraissait certes inattendu, mais que pouvait-il manigancer avec les canons ? Elle n'en avait pas la moindre idée. Et d'ailleurs, conclut-elle, ça ne la regardait pas.

— Qu'est-ce que tu en penses, Lou ?

— Couchons-nous, répliqua-t-elle. Il faut dormir.

Les jours suivants, cependant, ce que lui avait rapporté Barry ne cessa de lui tourner dans la tête. Ce que le premier lieutenant faisait auprès des canons cette nuit-là, elle ne le comprenait toujours pas, mais elle en vint à se demander si cela pouvait avoir un rapport avec l'accord qu'ils avaient conclu, Dalglish et elle. Néanmoins, elle eut beau chercher, elle ne trouva rien.

Elle avait fait jurer à Barry de ne plus recommencer ses petites expéditions nocturnes dans la cabine du capitaine. De mauvaise grâce, il lui avait promis de « rester sage ».

— Mais, tu comprends, lui avait-il tout de même expliqué, ce sont les seuls moments où je me sens moi-même, sur ce rafiot : quand je vole. Je suis un voleur, Lou, c'est mon tempérament, mon art, ma vocation ! Tu sais, avait-il ajouté en changeant subitement de ton, je me sens tellement mal ici… J'ai tellement honte de me sentir aussi lâche, aussi inutile. Surtout quand je vois comment, toi, tu te débrouilles…

— Arrête de t'apitoyer sur toi-même, Barry, ça ne sert à rien. Dis-toi que cette traversée va prendre fin un jour, qu'on est de plus en plus proches de son terme et que, lorsqu'on aura touché terre, on trouvera bien le moyen de s'enfuir.

— Tu as raison.

Ce qu'elle lui taisait, c'est qu'elle n'avait aucune intention, quant à elle, de demeurer sur la terre ferme. Elle l'aiderait à se mettre à l'abri et ils se sépareraient. Car, à présent, elle était certaine de deux choses : sa vocation à elle, c'était la mer ; et son but, de découvrir un jour le trésor de Red Peter Cockram. Quitter Barry lui ferait mal, mais ce serait nécessaire. Et puis, elle lui faisait confiance pour tracer son chemin en Amérique. Même sans elle.

Le lendemain, elle entendit sur le pont Skyrm, La-Bouche et Yeats discuter à mi-voix.

— Je ne comprends pas la route qu'on suit, disait Yeats. Si on continue comme ça, dans deux jours on verra les premières îles.

— Ouais, répondait songeusement Skyrm, et les Caraïbes, c'est pas notre destination…

— Le capitaine Finch est un gros incompétent, ricana LaBouche.

— T'as pas tort, seulement c'est pas lui qui donne les ordres.

— C'est le premier lieutenant, ajouta Yeats.

— Mais tu es bien sûr qu'on doit aller à Baltimore ? demanda LaBouche.

— D'après la feuille de route, ouais. Maintenant, peut-être qu'on a déplacé Baltimore, va savoir, et qu'on l'a replantée au milieu des cocotiers…

— Tu crois ?

Yeats et Skyrm échangèrent un regard et éclatèrent de rire.

— Tu me feras toujours marrer, mon vieux LaBouche, s'exclama Skyrm.

— Ouais, ben moi, je me marre pas. J'aime pas les Caraïbes, c'est trop dangereux.

— Tu as peur des pirates, mon vieux LaBouche ?

— Ouais ! Et j'ai pas honte de l'avouer.

Skyrm avait alors aperçu Lou, à trois pas.

— Fiche le camp ! Va traîner tes oreilles ailleurs.

Elle s'était éloignée tandis que les trois hommes la suivaient du même regard hostile.

Les pirates... Voilà un mot qu'elle avait souvent entendu depuis son enfance. Il ne se passait pas un mois sans qu'on rapporte un de leurs nouveaux exploits, même dans un bourg comme Hartfield. Contrairement à LaBouche, elle ne se sentit pas effrayée mais excitée à l'idée de croiser, un jour, peut-être, des pirates. Elle les idéalisait en hommes libres, en aventuriers magnifiques défiant la marine des plus grands pays d'Europe. Quand elle était à la tête de la bande des Devils' Hearts (il lui semblait maintenant que cela datait d'un siècle tant sa vie, depuis, avait été bouleversée), il lui arrivait de mener ses gars en s'imaginant à l'abordage d'un navire de guerre français ou espagnol.

Cette nuit-là, elle se réveilla soudain comme si quelque chose en elle avait sonné l'alerte. L'esprit aussitôt clair, aux aguets, elle écouta. Rien d'autre que le froissement de l'étrave fendant les vagues et les multiples sons provenant de la mâture : grincements de poulies, cliquètements de drisses, brusque claquement d'une voile qui se tend. Elle sortit de son hamac et, avant même de se pencher sur celui de Barry, elle sut qu'elle ne l'y trouverait pas.

Le petit imbécile ! Il lui avait désobéi, il n'avait pu s'empêcher de retourner fouiner dans la cabine du capitaine...

Elle sortit de la cambuse, furieuse et inquiète. Elle se faufila jusqu'à la dunette sans faire le moindre bruit. Elle risqua un œil par-dessus la rambarde : il n'y avait qu'un homme, à la barre. Elle reconnut la haute silhouette à la fois puissante et élancée du premier lieutenant Damon Dalglish. Pourquoi barrait-il lui-même ? Ce n'était pas son habitude, ni d'ailleurs l'emploi d'un officier supérieur. Peut-être le barreur avait-il dû s'absenter quelque temps ?

En tout cas, il n'était plus question d'aller chercher Barry. Elle n'avait pas son talent pour se glisser n'importe où sans être vue. Elle hésitait à retourner à la cambuse, bien que ce fût la seule chose sensée à faire. Elle risqua un nouveau coup d'œil.

À l'aide de deux garcettes habilement nouées, Dalglish fixait la barre sur le cap à suivre. Après s'être assuré d'un regard dans la voilure que tout allait bien, il s'éloigna vers l'arrière du navire. Lou ne le quittait pas des yeux. Il prit une lampe suspendue à la lisse et en alluma la mèche. Puis il attendit, immobile, tenant la lanterne contre sa cuisse.

Lou allait en profiter pour filer quand quelque chose – un soudain raidissement de la nuque et des épaules du lieutenant – la retint.

Là-bas, loin, sur l'horizon nocturne, brilla un éclat de lumière. Très bref. Deux autres ensuite, plus longs et rapprochés. Un temps. Un nouvel éclat bref. Un temps. Deux nouveaux éclats longs.

Alors Dalglish leva sa lanterne à bout de bras, puis

la masqua de la main. Un temps. Il retira sa main. Un temps. La replaça. Ainsi, deux fois de suite.

Cela ne pouvait faire aucun doute pour Lou : Dalglish avait reçu un signal, il y avait répondu. Il souffla la flamme de la lanterne qu'il raccrocha à la lisse. Lou, le dos courbé, trottina à toute vitesse pour rejoindre la cambuse.

Quand, un peu plus tard, Barry y revint à son tour, elle ne songea pas à le réprimander pour son imprudence. Elle pensait au lieutenant Dalglish et à ses étranges agissements nocturnes.

# 16.
# OÙ BARRY GRIMPE DANS LA MISAINE

De la brume commençait à cerner la *Princess*. Elle était apparue à l'horizon une heure plus tôt et, plus elle se rapprochait, plus elle se faisait dense.

— Barry ! Tu vas obéir aux ordres, ou est-ce que tu préfères les coups de fouet ?

Le maître d'équipage s'avançait, menaçant, vers le jeune homme. Barry était livide. Ses yeux affolés passaient sans cesse des vergues du navire loin, là-haut, au-dessus de lui, à la silhouette maigre de Skyrm qui, remontant le pont, le toisait d'un œil méchant. De quoi avait-il le plus peur ? D'escalader le gréement malgré son vertige ? Ou de la punition qui tomberait, inéluctable, s'il ne l'escaladait pas ?

Lou avait regardé sur la dunette, mais le premier lieutenant ne s'y trouvait pas. Il n'y avait là que le gros capitaine Finch qui assistait paisiblement à la scène en s'empiffrant de confiseries. En désespoir de cause, elle toucha le bras du jeune homme.

— Allez, Barry, le mieux que nous ayons à faire, c'est de grimper ensemble. Il ne t'arrivera rien.

Elle vit que ses mains tremblaient. Elle se demanda s'il l'avait entendue, s'il en était encore capable dans l'état de nerfs où il se trouvait. Jusqu'alors il avait réussi à échapper aux manœuvres dans le gréement, mais elle se doutait bien que, malgré toutes ses ruses, il y serait un jour contraint.

Le maître d'équipage n'était plus qu'à trois pas.

— Barry a envie de tâter du fouet, ricana-t-il.

— Ce n'est rien, lui cria Lou. On y va !

Elle empoigna Barry par l'épaule et le poussa de force vers l'échelle de corde. Il balbutia, terrorisé :

— Je crois… je crois que je préfère me fiche à l'eau…

— Ne sois pas idiot.

Elle agrippa l'échelle, tira Barry à sa suite, l'obligeant à grimper d'un mètre.

— Je suis là. Avec toi. Tout ira bien.

Il leva sur elle des yeux égarés, puis franchit deux échelons encore. Il tremblait tant que Lou pouvait le sentir aux vibrations de l'échelle de corde. Agile et légère, elle se hissa jusqu'à la vergue de misaine.

— Continue. Ne regarde pas en bas.

Il ferma les paupières, respira profondément et obéit. S'il parvenait à la rejoindre, tout irait bien. Il avait besoin d'être à son côté, elle lui insufflerait un peu de son courage. Il se concentrait sur ce seul but : rejoindre Lou. Il ne voyait plus rien autour de lui, ne se rendait pas compte du silence qui régnait sur le navire, les matelots ayant interrompu leurs tâches, sur le pont ou dans la voilure, pour assister à ce spectacle : un mousse pris de vertige suspendu dans le mât de misaine.

Par bonheur, il n'entendit pas non plus quand le silence, un instant plus tard, fit place à des rires et des paris lancés au travers du bateau qu'envahissait peu à peu la brume venue du large :

— Tombera ?

— Tombera pas ?

— Un shilling qu'il va se casser la gueule ! ricana LaBouche, suspendu à la hune du grand mât.

— Tenu ! répliqua Yeats.

Lou, elle, les entendit, ces cris et ces rires. Furieuse, elle se jura qu'elle les leur ferait rentrer dans la gorge, à tous, et surtout à ceux qui misaient sur la chute de Barry. Mais d'abord il fallait l'amener jusqu'à la hune.

— Allez, Barry ! Rejoins-moi ! Tu auras fait la moitié du chemin.

Ce n'était pas tout à fait vrai. Mais il y a des mensonges nécessaires.

— Louis ! lui cria alors le maître d'équipage. Qui

t'a donné l'ordre de monter dans le gréement ? Redescends immédiatement !

— Mais…

— Obéis ! Ou tu recevras autant de coups de fouet que cette lavette de Barry !

Il tourna la tête vers la dunette, quêtant la réaction du gros capitaine Finch. Celui-ci l'approuva de quelques hochements de tête qui firent trembloter son triple menton.

— Le capitaine confirme la punition ! Cette fois, tu n'y échapperas pas, Louis !

Campé sur le pont, les poings sur les hanches, le visage barré en diagonale par le bandeau rouge masquant son œil crevé, fantomatique dans le brouillard qui flottait désormais sur le pont, il semblait jouir de sa cruauté. Jamais elle n'avait haï quelqu'un autant que cet homme : Jonathan Skyrm, maître d'équipage de la frégate HMS *Princess*.

— Descends ! Je ne le répéterai pas !

La brume à présent baignait le navire entier dans une ambiance irréelle et sinistre. Skyrm les observait, l'une sur la vergue de misaine, l'autre au-dessous, à quelques mètres. Lou fit mine d'obéir. Elle redescendit le long de l'échelle de corde, mais ce fut pour s'arrêter près de Barry. Elle lui mit la main sur l'épaule. Il tremblait de tout son corps.

— Il faut que tu le fasses. Tu verras, c'est facile. Garde toujours une main pour t'accrocher. Ne te sers que de l'autre.

— Louis ! cria une fois encore Skyrm.

Barry hocha la tête, sans ouvrir les yeux.

— Obéis-lui, dit-il d'une voix faible. Je vais… je vais y arriver…

Joignant le geste à la parole, il reprit son ascension. Alors elle vit apparaître le lieutenant Dalglish sur la dunette. Prise d'un soudain espoir, elle le regarda, attendant qu'il fît cesser d'un mot ce jeu stupide et mortel. Mais, à sa grande déception, après avoir levé un regard indifférent sur Barry et elle, il entreprit d'inspecter les alentours du navire qui disparaissaient dans le brouillard. Puis, lui tournant le dos, il alla échanger quelques mots avec le barreur, lequel, aussitôt, modifia le cap tandis que le premier lieutenant ordonnait de ferler les huniers.

À regret, elle se laissa glisser le long d'un cordage et atterrit souplement sur le pont, à deux pas de Skyrm. Il s'approcha d'elle. Elle l'affronta du regard. Elle le dépassait d'une demi-tête – à terre elle n'aurait eu aucun mal à l'assommer à coups de poing. Mais ils étaient en mer, sur un navire de Sa Majesté, Skyrm était maître d'équipage et si elle le frappait en présence du capitaine Finch, même le lieutenant Dalglish ne pourrait rien pour lui épargner un châtiment exemplaire.

— Tu n'as peur de rien, Louis, n'est-ce pas ?

Elle ne répondit pas.

— En général, reprit Skyrm, je méprise les recrues que nous envoie le juge Arbuckle. De la racaille. De la racaille comme toi. Mais toi, tu es doué, je n'avais jamais vu quelqu'un s'amariner aussi vite et aussi bien.

— Merci, monsieur Skyrm, dit-elle parce que c'étaient les mots qu'elle était forcée de prononcer.

Elle ne put s'empêcher de chercher, là-haut, dans les espars, la silhouette de Barry. Oui, il était là, presque indiscernable dans la brume. Il avait enfin atteint la vergue.

— Bonne réponse, fit Skyrm. Tu finiras par apprendre l'obéissance, mon gars. En attendant, va récurer le pont.

En s'éloignant, elle leva les yeux vers la dunette, croisant ceux de Dalglish. Il ne broncha pas. Son visage était fermé. Elle eut la désagréable impression qu'il ne la voyait même pas. Elle ne comprenait rien à son attitude : pourquoi avoir passé cet accord avec elle, si c'était pour laisser Barry mourir écrasé sur le pont ? Ne se doutait-il pas qu'elle tenait au jeune homme plus qu'à elle-même ? Au même instant, un cri déchira l'air. Un cri de détresse et de peur.

Elle se retourna, anxieuse. Barry !

Le brouillard avait pris possession du navire jusqu'aux mâts de hune. Elle ne distingua qu'une forme grise mais elle en était sûre : c'était Barry ! Il avait glissé de la vergue. Accroché à un cordage, il battait désespérément des jambes dans le vide.

— Mon p'tit Barry, lança la voix goguenarde de Skyrm, arrête de faire le singe, voyons !

Le sarcasme fit rire une partie des gabiers et le capitaine Finch. Lou n'eut pas d'hésitation. Elle se lança dans les cordages. Elle grimpait très vite, les mains sûres, sans aucun souci de prudence. En bas, le maître d'équipage hurla :

— Louis ! Descends immédiatement !

Elle ne l'écouta pas. Une seule chose lui importait : le sort de Barry. Il fallait qu'elle parvienne près de lui avant qu'il ait lâché prise. Elle bondissait d'une vergue à une échelle, de l'échelle à un cordage.

— Louis ! Descends !

Elle s'accrocha d'une main à une drisse, se balança jusqu'à l'endroit où Barry se tenait suspendu. Il était livide. Elle enfourcha adroitement la vergue au-dessus de lui, assura son équilibre, lui tendit la main.

— Allez ! Attrape-moi !

Mais il était terrifié. Incapable du moindre geste. Surtout de lâcher le cordage auquel il s'agrippait comme à la vie. En désespoir de cause, elle noua rapidement une garcette de ris à sa cheville, puis se pencha dangereusement vers lui.

— Tu ne risques rien. Donne-moi la main !

— Je... je ne peux pas...

— Ta main !

Épuisé, le jeune homme fermait les yeux de toutes ses forces, comme si ne rien voir pouvait le sauver.

— Regarde-moi ! lui ordonna Lou. Je t'en supplie : regarde-moi !

Le ton était à la fois si impérieux et si implorant

qu'il ne put faire autrement que d'ouvrir les paupières. Il la vit, si sûre d'elle et si forte. Il desserra les doigts de sa main droite. Il avait une peur panique de tomber. Il tendit pourtant le bras, lentement. Lou lui agrippa le poignet au moment où il allait tout lâcher. Il se sentit hissé vers le haut.

Un instant plus tard, il était près d'elle sur la vergue, sans savoir comment il y était parvenu. Son cœur battait à tout rompre.

— Maintenant, lui dit-elle, on va jusqu'à l'échelle de corde. D'accord ?

— … Oui…

— Garde les yeux fermés. Tu feras tout ce que je te dirai ?

— … Oui…

Elle le conduisit, tel un aveugle, jusqu'à l'échelle. Elle lui expliqua comment descendre. Un pied après l'autre. Lentement. Posément. Il ne craignait plus rien. Il faisait entière confiance à sa voix.

Ils touchèrent presque ensemble le pont de la *Princess*. Lou ne put s'empêcher de prendre Barry dans ses bras.

— Tu as réussi ! J'ai eu si peur pour toi…

Une main lui empoigna alors l'épaule et la tira brutalement en arrière. C'était LaBouche. Elle se dégagea avec violence. Skyrm s'avançait, un demi-sourire aux lèvres.

— Tu m'as désobéi sous les yeux du capitaine,

Louis, susurra-t-il. Donc, tout à l'heure, ce sera trente coups moins un. On verra si tu fais toujours le fier quand tu auras tâté du chat à neuf queues...

C'était le nom qu'on donnait au fouet à neuf lanières dont on punissait les matelots de la Royal Navy. Beaucoup ne survivaient pas à un tel supplice, Lou l'avait entendu dire par Garrett, le cambusier. Elle leva encore une fois les yeux sur la dunette, mais n'y vit, au côté du capitaine Finch que la perspective d'un tel spectacle semblait amuser, qu'un Dalglish impassible et spectral dans le brouillard. Aucun secours à attendre de lui, songea-t-elle avec amertume. Elle n'avait plus rien à perdre. Elle pouvait donner libre cours à son mépris et à sa rage.

— Petite larve borgne ! cracha-t-elle à la figure de Skyrm. Tu me dégoûtes !

— Tu aggraves ton cas, gronda-t-il, furieux de l'insulte. La punition est doublée !

Des deux mains à plat, elle le frappa à la poitrine. Il trébucha en arrière, battit des bras, tomba lourdement sur les fesses. Elle l'avait ridiculisé devant tout l'équipage, elle comprit, dans sa colère, qu'elle ne survivrait pas au châtiment qu'il lui infligerait.

C'est alors qu'une idée surgit à son esprit. Une idée qui comportait de graves dangers mais pouvait la sauver temporairement.

Avant que LaBouche et d'autres matelots aient pu la maîtriser, elle s'avança et se pencha sur le maître d'équipage.

— C'est la deuxième fois que je te fais mordre la poussière, murmura-t-elle. Tu te souviens de la première ? Derrière une taverne de Hartfield ?

Il la regarda avec stupéfaction.

— C'était toi ?

— J'avais à peine quinze ans et tu as détalé comme un lâche.

— C'était toi ? répéta-t-il.

Elle se pencha encore davantage, jusqu'à ce que ses lèvres effleurent son oreille.

— Et tu veux savoir le plus beau ? lui chuchota-t-elle. Red Peter Cockram m'a fait son unique héritier...

LaBouche et deux autres gabiers l'empoignèrent. Elle ne se débattit pas. Elle prenait plaisir à examiner le visage de Skyrm où se succédaient très vite diverses expressions : la surprise, la colère, la méfiance, la ruse. Le borgne se remit lentement sur ses pieds. Elle vit qu'il s'efforçait de réfléchir rapidement.

— Eh bien ? Qu'attendez-vous ? fit la voix flûtée du gros capitaine Finch. Allez chercher le fouet pour punir ce misérable comme il le mérite !

L'œil jaune de Skyrm se fixa un instant sur le visage de Lou. Elle y lut qu'elle venait de gagner quelque temps de sursis.

— Si vous me permettez une opinion, sir, dit Skyrm en s'adressant au capitaine, je crois que nous devrions attendre que la brume se lève. Elle gâcherait le spectacle du châtiment.

— Finement observé, monsieur Skyrm ! Mettez-moi donc ce gaillard au frais en attendant.

— À vos ordres, sir.

Sur un signe de tête du maître d'équipage, La-Bouche emmena Lou.


Ils la descendirent à fond de cale. Là, Skyrm dit à son acolyte de la lâcher.

— Bien. Nous sommes maintenant entre nous, Louis. Nous allons avoir une petite discussion. Commençons par le commencement : ainsi, c'était toi, le gamin de Hartfield ?

— Il ne me manque que le bâton dont je t'ai rossé !

Mais Skyrm n'était plus disposé à se mettre en colère à la moindre insolence. Il avait bien autre chose en tête.

— Et tu prétends que Red Peter t'a fait son héritier ? Ce qui signifie, si je comprends bien, que tu es en possession de la carte ?

— Je l'étais. Je l'ai perdue le jour où la police m'a arrêtée.

Il eut un geste d'exaspération.

— Alors tu ne me sers à rien !

— Sauf que… cette carte, Skyrm, je n'en ai pas besoin.

Elle se toucha le front du bout de l'index.

— Elle est gravée là, avec tous ses détails. Je l'ai tant regardée pendant un an, que je pourrais la dessiner les yeux fermés.

— Dans ce cas, c'est ce que tu vas faire pour moi. Tout de suite.

— Tu me prends pour un imbécile ? Dès que tu aurais cette carte, tu te débarrasserais de moi. Non, Skyrm : la carte, c'est moi. Une carte bien vivante et qui entend le rester. Une carte dont tu as intérêt à prendre le plus grand soin.

Skyrm se tut quelques instants, la jaugeant du regard.

— Je crois, dit-il enfin, que tu n'as pas saisi la précarité de ta situation, Louis. Tu es un condamné en attente de son exécution. Tu ne survivras pas à plus de cinquante coups de fouet. En attendant, tu es ma chose. Il y a de nombreux moyens de te faire parler. Tu chanteras, même, si ça m'amuse…

— Je ne crois pas que la torture soit permise sur les navires de Sa Majesté, Skyrm.

Il lui sourit en coin, moqueur.

— Sa Majesté se contrefout du sort des petites racailles dans ton genre…

Elle se mit alors vraiment à avoir peur.

— Je ne parlerai pas ! Et tu perdras le trésor de Cockram !

— Nous verrons bien.

Il se tourna vers LaBouche.

— Passe-moi ton couteau. Nous allons peler ce p'tit gars comme un navet.

Lou jeta un coup d'œil affolé sur la cale où ils étaient enfermés. Aucune possibilité de fuite. Cette fois, elle avait joué et elle avait perdu. Ces deux ignobles personnages la tenaient à leur merci.

Elle fermait les poings, prête à vendre chèrement sa vie, quand retentit le premier coup de canon.

## 17.
# OÙ LES ÉVÉNEMENTS SE PRÉCIPITENT

Lou fut la première à revenir de sa surprise. La coque entière de la *Princess* avait vibré sous l'impact du bou- let.

— On est touché à tribord ! hurla Skyrm.

L'instant d'après, il recevait un coup de poing sur l'oreille qui le fit tomber au sol. Lou lui arracha le cou- teau et se redressa en en menaçant LaBouche.

— Écarte-toi !

Il la connaissait trop à présent pour oser la défier. Il obéit. Un deuxième coup de canon fut tiré. Presque simultanément, le navire trembla de toute sa char- pente. L'agresseur était tout proche, peut-être déjà bord à bord. Qui était-ce ? Des pirates ? Lou n'avait pas le temps de se poser de questions. D'abord, remonter sur le pont. Si la *Princess* devait couler, il ne ferait pas bon se trouver dans la cale.

Avant même de ressurgir à l'air libre, elle comprit que le combat avait été engagé avec une extraordinaire rapidité. Elle entendit des hurlements sauvages, des détonations, des ordres lancés dans la confusion. Elle s'arrêta sur les dernières marches de l'échelle, poussa prudemment la trappe, juste assez pour glisser un coup d'œil à l'extérieur.

Une goélette s'était arrimée à la *Princess* à l'aide de grappins lancés de son propre bord. Sans doute suivait-elle le navire à bonne distance depuis un certain temps et avait-elle profité du brouillard pour l'attaquer. Elle avait pu s'approcher si près sans être repérée qu'elle n'avait eu qu'à tirer deux coups de canon à bout portant afin de semer la panique. Après quoi, le lancer des grappins n'avait été qu'une formalité. Déjà, les pirates avaient sauté sur le pont dans une clameur féroce, sabre et pistolet en main.

Aucun matelot de la *Princess* n'avait eu le temps de s'armer. Tous s'étaient réfugiés au bas de la dunette, attendant les ordres et les fusils que, supposa Lou, on avait dû aller chercher en hâte. Le capitaine Finch, écarlate, ridicule, moulinait l'air de son sabre en glapissant, manquant d'éborgner les deux jeunes aspirants qui l'entouraient. Quant à Dalglish, il se tenait en arrière, les mains derrière le dos, immobile, imperturbable.

Lou n'y comprenait rien. Qu'attendait-il ? Pourquoi ne commandait-il pas la défense du navire ? Et pourquoi Peckover, le canonnier, et Silberg, son aide, n'étaient-ils pas à leurs pièces pour lancer une bordée contre la goélette des pirates ?

Elle venait à peine de penser à eux qu'elle les entendit faire irruption au bas de l'échelle où elle était perchée.

— C'est affreux ! C'est affreux ! criait Peckover. Les canons ! J'ai voulu tirer, ils ont fait long feu ! Aucun ne marche !

— Comment est-ce possible ? demanda Lou qui, cependant, avait déjà sa petite idée.

— Je ne comprends pas ! s'exclama Silberg. Toutes les mèches sont fichues ! Pas une ne s'allume !

Elle n'en écouta pas davantage : elle venait de reconnaître parmi le groupe des matelots acculés sous la dunette, aussi désarmé et impuissant qu'eux, son cher Barry !

Son premier mouvement la poussait à le protéger, donc à le rejoindre. Mais elle réalisa qu'en surgissant de la trappe, elle risquait d'apparaître comme une menace pour les pirates et de se faire tirer dessus. Barry s'était placé, prudent, au centre du groupe, entouré de Yeats, du vieux Garrett et d'un gabier du nom de Bonnet. Aucune raison que quiconque s'en prenne particulièrement à lui.

D'ailleurs, Lou ne fut pas longue à comprendre qu'il n'y aurait pas de combat. La *Princess* allait être capturée sans coup férir. Les pirates, très sûrs d'eux, contemplaient l'équipage d'un air goguenard. Une demi-douzaine d'entre eux se contentaient de braquer leurs pistolets pour les tenir en respect. Les autres avaient grimpé dans le gréement et entrepris de carguer et de ferler les voiles, sauf les deux focs et le beaupré.

Leur chef, un gaillard d'une trentaine d'années, qui portait un foulard écossais noué sur le crâne et une jaquette bleue à brandebourgs qui avait dû appartenir à quelque officier français, commandait la manœuvre d'une voix nonchalante.

— Je suis le commandant de ce vaisseau ! glapit le capitaine Finch, sabre brandi. Seul maître à bord après Dieu ! Je vous interdis de donner des ordres !

Le chef regarda ses hommes qui éclatèrent de rire. Il s'avança ensuite vers la dunette, sourire aux lèvres.

— Mille pardons, capitaine ! Je ne voulais pas vous offenser.

Il monta les quelques marches jusqu'au gros officier qui, avec un courage qu'on n'aurait pas attendu de lui, pointa son sabre.

— Plus un pas ou je vous embroche !

— Hé ! capitaine ! On n'a même pas été présentés que déjà vous voulez ma peau ?

— Je ne fraie pas avec des criminels !

Le pirate s'arrêta à quelques centimètres de la pointe de l'arme. Il affectait un flegme courtois.

— Vous m'en voyez blessé jusqu'au fond de l'âme,

je vous assure… Car vous, capitaine Finch, je sais qui vous êtes : un de ces pantins en uniforme qui m'ont pourri la vie au temps maudit où j'étais matelot.

Sur quoi, sans que rien ait pu laisser prévoir son geste, il leva son pistolet et abattit le capitaine Finch d'une balle en plein front. Un sentiment mêlé de peur et d'indignation se saisit de Lou tandis que le gros homme s'effondrait comme une masse et que le pirate, narquois, se penchait sur son cadavre dans un simulacre de révérence.

— Quant à moi, sir, je suis Lemuel Frowd, capitaine du *Black Hawk*, terreur des Caraïbes. Enchanté de faire votre connaissance.

Il se redressa en promenant le regard autour de lui. Un silence de mort régnait sur tout le navire. Il arrêta un moment les yeux sur Dalglish. Celui-ci n'avait pas bronché. Il se tenait droit, les mains derrière le dos, les jambes légèrement écartées, le visage impassible. Frowd lui adressa un sourire qui n'obtint aucune réponse, puis tout à coup se tourna vers ses hommes et se mit à rire à gorge déployée. Alors, comme s'ils n'attendaient que ce signal, ils l'imitèrent bruyamment. Lou en eut la chair de poule.

Après un second coup d'œil vers Dalglish, Frowd interrompit les rires d'un simple geste et ordonna à ses hommes de descendre l'équipage de la *Princess* dans la cale. Lou se laissa glisser au bas de l'échelle.

— Que s'est-il passé ? lui demanda le canonnier Peckover.

— Ils ont tué le commandant. Maintenant ils vont enfermer tout le monde. Le mieux est de filer !

— Filer ? Et où ça ? fit Peckover. On va les attendre et se rendre, il n'y a pas d'autre solution.

— Comme tu veux. Et toi, Silberg ?

L'aide-canonnier haussa les épaules.

— Crois-moi, Louis, il ne reste plus qu'à prier.

— Prier ? Moi, ma grand-mère me disait toujours : « Aide-toi, le Ciel t'aidera » !

Et elle les laissa là, disparaissant dans les profondeurs du navire.

# 18.
# OÙ LE CAPITAINE FINCH
# PASSE PAR-DESSUS BORD

En réalité, Lou n'avait pas imaginé le moindre plan. Elle se fiait à son instinct, à son premier mouvement qui était toujours : « Ne renonce jamais ! » Elle entra dans l'entrepont des canons. Elle songea un instant à trouver le moyen de les mettre à feu et de bombarder la goélette des pirates, mais comprit vite qu'elle avait peu de chance de succès. Lui parvenait, de plus en plus proche, le bruit de troupeau que faisait l'équipage en descendant dans la cale. Il fallait agir.

D'abord, sortir d'ici.

Elle risqua un œil par l'un des sabords. La coque du *Black Hawk* touchait presque celle de la *Princess*. Lou se dit que ce serait facile. Elle se glissa dans l'ouverture, prit appui des deux pieds sur le fût d'un canon, saisit la corde d'un grappin qui pendait mollement à portée de main, s'assura qu'elle était bien fixée et, d'une traction, se hissa à l'extérieur.

Ensuite, elle n'eut plus qu'à se déplacer en se tenant, du bout des doigts et des orteils, aux fortes membrures des deux coques. Son intention ? Atteindre la poupe de la frégate et grimper jusqu'à la dunette, dans l'espoir d'y rejoindre Dalglish.

Elle n'avait pas compris son attitude lors de l'abordage. À présent, elle se disait qu'il avait agi avec sang-froid en n'engageant pas un combat perdu d'avance. Et une chose était certaine : il n'avait peur ni des pirates ni de leur ignoble chef, Lemuel Frowd. Certes, elle le soupçonnait très fortement d'avoir saboté les mèches des canons. Ce qui semblait faire de lui le complice des pirates. Mais, après tout, elle n'était sûre de rien, et puis pourquoi un officier de Sa Majesté tel que Damon Dalglish irait-il s'acoquiner avec eux ? Cela n'avait pas de sens. Enfin, il lui était revenu les mystérieux propos du lieutenant, le fameux soir où il l'avait convoquée – et démasquée – dans sa cabine : il lui avait parlé d'« événements inattendus » au cours desquels il aurait besoin d'elle. Que pouvait-il y avoir de plus imprévu que l'abordage surprise des pirates ? Ils avaient passé un accord, elle entendait en assumer sa part, surtout s'il s'agissait de jouer un mauvais tour à Frowd et à ses hommes.

À l'aplomb de la dunette pendait opportunément un

cordage. Elle y grimpa rapidement. Elle s'immobilisa juste avant de parvenir à la rambarde. Elle jeta un coup d'œil.

Excellent. Il n'y avait plus maintenant sur la dunette que les deux aspirants, debout, désemparés, près du cadavre du capitaine Finch, et, trois pas en arrière, solide, impénétrable, le lieutenant Dalglish, qui semblait n'avoir pas bougé d'un cil depuis l'assassinat de son commandant.

En équilibre sur une membrure, le corps plaqué contre la cloison, Lou se déplaça de telle sorte qu'elle se retrouva derrière Dalglish. Elle l'interpella à mi-voix.

— Hé ! Lieutenant… Lieutenant…

Rien chez lui ne manifesta la moindre surprise. Il avait décidément des nerfs d'acier. D'un air tout à fait naturel, il fit les deux pas qui le séparaient de l'endroit sous lequel Lou se tenait accrochée. Sans presque desserrer les lèvres, il lui dit, les yeux fixés sur le brouillard qui se dissipait :

— Content de te revoir, Lou. Tu as échappé à Skyrm ? Je savais que tu avais de la ressource.

— Que dois-je faire, sir ?

— Écoute bien : au-dessous de toi, il y a un hublot. Celui de la cabine du commandant. Tu vas t'y introduire. Tu trouveras deux pistolets chargés sous sa couchette. Prends-les. Inst… Attends.

Elle plaqua sa joue contre le bois. Là-haut, retentit la voix de Frowd :

— Vous, les deux enseignes ! Balancez-moi la charogne de Finch par-dessus bord ! Et vite !

Elle entendit les deux aspirants ahaner avec effort en soulevant le lourd cadavre. Quelques instants plus tard, elle vit apparaître la dépouille non loin au-dessus d'elle, le ventre posé sur la rambarde, la tête en bas. Le tricorne, puis la perruque du défunt Finch tombèrent à la mer.

Elle comprit que les aspirants allaient la voir. Elle n'avait ni le temps ni la possibilité de se cacher ou de fuir.

La voix de Dalglish se fit alors entendre :

— Vous ne respectez rien, n'est-ce pas, Frowd ?

— Surtout pas un officier de la Navy ! Vous voulez quoi ? Que je lui organise des funérailles militaires ? ricana le pirate.

— Il vous les aurait refusées, Frowd, fit Dalglish.

Puis, à l'adresse des aspirants, il ajouta :

— Écartez-vous. Laissez-moi faire.

Elle vit le lieutenant renvoyer les jeunes gens d'un geste. Il saisit le cadavre par les chevilles et le fit basculer dans le vide, sans autre forme d'oraison funèbre qu'un : « Désolé, sir. »

— On se retrouve tout à l'heure pour conclure, fit la voix de Frowd.

Dalglish se contenta de hocher brièvement la tête sans répondre. Lorsque le pirate se fut éloigné, le lieutenant se rapprocha de Lou. Il était temps. Ses orteils commençaient à s'engourdir, elle ne tiendrait plus longtemps en équilibre sur la membrure.

— Une fois dans la cabine, reprit Dalglish entre ses dents, installe-toi face à la porte, pistolets armés. Maintenant, sois bien attentive : au premier homme qui passe cette porte, tu tires. Tu as bien compris ? *Tu tireras pour tuer.* Lui, et seulement celui qui passera la porte le premier.

— Et après ?

Il contempla distraitement le brouillard qui s'effilochait, laissant réapparaître le bleu du ciel.

— Après, je m'en occupe. Vas-y.

Il s'éloigna de la rambarde. Lou entreprit de descendre le long de la coque jusqu'au hublot de la cabine du commandant. Il était ouvert. Elle s'y faufila, les jambes d'abord.

Lorsqu'elle posa les pieds sur le plancher, une mauvaise surprise l'attendait.

## 19.
## OÙ LABOUCHE SAUVE
## LA VIE DE LOU

— Comme on se retrouve !

Skyrm, assis d'une fesse au bord de la table, la narguait. LaBouche se tenait au fond de la cabine, ses gros sourcils froncés, apparemment très nerveux.

— Comment êtes-vous arrivés jusque-là ?

— Ce navire n'a pas de secret pour moi, Louis.

Vivement, elle se retourna, s'accroupit et fouilla sous la couchette.

— Te fatigue pas, fit Skyrm. C'est ça que tu cherches ?

Il braqua sur elle les deux pistolets.

— Tu ne t'en tireras pas, Skyrm. Les pirates vont descendre ici et tu crois que tu vas les arrêter avec ça ?

— Non. Plutôt avec un seul mot : « Trésor » ! Tu verras, c'est un mot qui produit un effet extraordinaire sur tout le monde, alors imagine sur des pirates…

— Tu ne pourras jamais négocier avec eux. Le trésor, je suis le seul à savoir où le trouver.

— J'en ai conscience, mon p'tit gars. C'est pour ça que je pensais leur demander d'aller te chercher. Grâce à toi, ce sera inutile : je t'ai désormais sous la main ! Un signe de la Providence, sûrement.

Lou lui rendit son sourire narquois.

— Un mousse a plus de cervelle que toi, mon pauvre Skyrm… Explique-moi ce qui m'empêchera de négocier moi-même et seule avec Frowd ?

— Frowd ? s'exclama LaBouche. Le capitaine Frowd ? C'est lui qui… ?

— Tais-toi ! lui dit Skyrm, agacé. Qu'est-ce que ça change ?

— Tu te rends pas compte ? Frowd, c'est le pire de tous ! On est morts, Jonathan, je te le dis, on est morts !

LaBouche se tordait les mains, grimaçant de terreur.

— Calme-toi, bon dieu !

— On aurait dû se rendre, Jonathan ! Avec les autres dans la cale, on risquait rien…

Il était pitoyable.

— Ferme-la, je te dis ! Et arrête de te tordre les mains comme ça, c'est pénible. Tiens, prends les pistolets, ça les occupera !

Il lui tendit les armes. LaBouche essuyait les larmes qui lui montaient aux yeux.

— Prends les pistolets et arrête de pleurnicher. Allez, obéis !

LaBouche s'approcha. Skyrm lui fourra les armes dans les mains sans dissimuler son mépris.

— Et ne fais pas l'idiot avec. Si t'as tellement la trouille de Frowd, t'as qu'à te faire sauter la cervelle et on n'en parle plus.

Skyrm se retourna vers Lou, un rictus de dégoût sur les lèvres.

— J'ai jamais eu de chance avec mes partenaires. Je m'associe avec Red Peter, et à la première occasion il me double. Ensuite je prends ce grand crétin avec moi, et regarde-le : il suffit qu'il entende « pirates » pour qu'il se pisse dessus !

Et, comme un jeu méprisant et cruel, il pencha le visage en direction de son acolyte et il s'écria, d'une voix de fausset :

— Pirates ! Pirates !

— T'as tort de te moquer, murmura LaBouche qui serrait les deux pistolets sur sa poitrine comme on dorlote une poupée.

Ce qui n'empêcha pas Skyrm de rire méchamment, tout en reportant son œil sur Lou.

— Quant à toi, ne te fais pas d'illusions. Tu ne négocieras rien du tout avec Frowd. Pour la bonne raison que lui et moi, on se connaît. On a navigué ensemble, du temps où il était gabier dans la Royal Navy.

— Je ne crois pas qu'il en ait gardé d'excellents souvenirs, répliqua Lou en songeant aux paroles de Frowd juste avant le meurtre du capitaine Finch.

Leur conversation fut soudain interrompue par des bruits de pas dans la coursive.

— Les voilà, gémit LaBouche.

— Oui. Les voilà, dit Skyrm.

Il ne souriait plus. Il savait qu'il allait jouer sa vie en quelques phrases et qu'il faudrait choisir les bonnes. Lou, elle, se disait que le plan de Dalglish – quel qu'il ait pu être – était fichu. Elle devait tirer sur le premier homme qui franchirait la porte. Mais elle n'avait pas les pistolets. Elle aussi se préparait à prononcer les mots qui lui sauveraient la mise face à Frowd et Skyrm à la fois. L'ennui, c'est qu'il ne lui en venait pas le moindre à l'esprit.

Les pas s'étaient arrêtés derrière la porte. On entendit la voix de Frowd :

— Tu es dur en affaires. Tu ne changeras jamais, Damon.

*Damon* ? Le pirate s'adressait à Dalglish comme à un vieux camarade. Le sang s'était glacé dans les veines de Lou.

— Encore plus dur que tu ne crois, répliqua la voix de Dalglish. Entre, qu'on discute.

— Après toi, Damon. Tu es chez toi, après tout.

— Non, je t'en prie, partenaire. *Toi le premier.*

Dalglish avait prononcé ces trois mots d'une voix plus forte et plus distincte. Lou comprit d'un coup ce qu'il avait attendu d'elle : qu'elle le débarrasse de Lemuel Frowd, son *partenaire*.

La porte s'ouvrit. Frowd entra. Une expression de surprise apparut sur son visage. Deux détonations éclatèrent. Touché en pleine poitrine, Frowd bascula en arrière. Lou vit les yeux noirs de Dalglish se poser sur elle avec étonnement tandis qu'il la visait de son pistolet. Pendant un interminable instant, elle se crut déjà morte. L'instant d'après, le regard et l'arme de Dalglish se tournèrent vers le fond de la cabine où LaBouche s'était recroquevillé, les pistolets déchargés dans les mains. L'index du lieutenant appuya sur la détente. LaBouche s'effondra. La scène s'était déroulée en moins de trois secondes.

Ensuite, les deux pirates qui accompagnaient Dalglish voulurent se ruer dans la cabine. Probablement, songea Lou, pour les tuer, elle et Skyrin, et finir de venger dans le sang la mort de leur chef. Mais Dalglish interposa sa haute stature dans l'embrasure de la porte.

— J'ai châtié l'assassin de Frowd, leur dit-il, ça suffit.

— Ceux-là étaient avec lui ! Pas de pitié ! s'écria l'un des pirates en bousculant le lieutenant.

Dalglish le saisit à la gorge d'une seule main et le plaqua contre la cloison. La sauvagerie de son expression contrastait étrangement avec son ancienne froideur de gentleman.

— Frowd est mort, gronda-t-il. Maintenant, c'est moi qui commande.

L'autre, qui étouffait, battit des paupières pour montrer qu'il était d'accord. Dalglish le lâcha.

— Retournez sur le pont. Assurez-vous que le transbordement de la cargaison se déroule comme prévu. Allez !

Les deux pirates obéirent. Quand ils eurent disparu au coin de la coursive, Dalglish entra dans la cabine et en referma la porte. Il contempla tour à tour Skyrm, qui baissa la tête, puis Lou. Elle le défia du regard avec indignation.

— Vous êtes un scélérat et un traître !

Il lui sourit.

— Pour le double jeu, tu pourrais m'en remontrer, Lou…

— Vous m'avez envoyée ici pour assassiner Frowd et me tuer ensuite. Comme ça, personne ne pouvait vous soupçonner !

— Mais – et je ne le répéterai jamais assez – tu es une personne pleine de ressource. Et de chance, ce qui ne gâte rien. Ce pauvre LaBouche a fait le travail à ta place. De quoi te plains-tu ? Tu t'en tires sans une égratignure, et je reconnais avoir commis une erreur : on ne sacrifie pas ceux qui ont autant de ressource et de chance que toi, on se les attache.

— N'y comptez pas ! Je vous méprise.

— Cela te passera, lui répliqua-t-il avec son plus charmant sourire.

Il tourna les yeux vers le maître d'équipage.

— Alors, Skyrm ? Qu'est-ce que je vais faire de vous ? LaBouche était, comment dire… ? l'ombre de vos pas, vous devez m'en vouloir terriblement de ce qui vient de se passer ? Je n'ai pas pour coutume de laisser derrière moi un homme susceptible de se venger, savez-vous ? D'autre part, l'équipage du *Black Hawk* va avoir besoin d'un peu de distraction pour se remettre de la mort si malheureuse de son capitaine. Le spectacle d'un petit supplice ne lui déplairait pas, j'en suis persuadé. Que diriez-vous de subir quelque estrapade, par exemple ?

Skyrm leva enfin son regard borgne sur le lieutenant. Il le dévisagea comme un chien regarde son maître quand il craint d'être battu. Le bout de sa langue pointait, léchant nerveusement ses lèvres.

— Vous savez, commença-t-il, je ne tenais pas plus que ça à LaBouche. C'était un âne bâté, Dieu ait son âme…

À demi rassuré par l'air attentif qu'affichait Dalglish, il s'enhardit.

— Et puis, vous êtes un homme d'honneur. Vous ne voudriez pas punir un innocent. J'y suis pour rien, moi, si LaBouche a tiré sur le capitaine Frowd. Regardez vous-même ! Moi, j'suis pas armé. Alors ? Vous ne commettriez pas une injustice, sir ?

Dalglish hocha la tête un moment, comme s'il pesait les paroles de Skyrm. Celui-ci, rasséréné, ébaucha un sourire. Qui se figea lorsque, brusquement, le lieutenant déclara :

— Non, décidément, je ne vois aucune raison de t'épargner. Ce sera l'estrapade.

— Attendez !

Skyrm tendait le doigt vers Lou.

— Il peut nous mener à un trésor !

Surpris, Dalglish s'arrêta au moment d'ouvrir la porte.

— Qui ça ? Louis ? De quoi parles-tu ?

— Il a la carte de l'endroit où Red Peter Cockram a caché son butin ! Vous avez entendu parler de Red Peter Cockram, sir ? Il a dirigé la mutinerie du *Greyhound*, il y a sept ans. Il s'est emparé du navire et a exécuté tous les officiers, que son âme soit damnée !

— Bien sûr que j'ai entendu parler de Cockram. Cette histoire a fait scandale à l'époque. Surtout que le *Greyhound* transportait…

— Un trésor, sir, un véritable trésor ! s'emporta Skyrm. Trois coffres de doublons espagnols ! Un coffre de vaisselle d'or et d'argent ! Sans compter l'idole !

— L'idole ? ne put s'empêcher de demander Lou.

Ce fut Dalglish qui l'éclaira. Il semblait tout à coup passionné comme un enfant à qui l'on a promis des merveilles.

— Oui, l'idole ! Une statuette d'or incrustée de diamants jaunes d'une valeur inestimable. Le *Greyhound* la rapportait des Indes. Comment la nommait-on, déjà ? … Ah, oui ! Le *Cheval des Tempêtes*…

— C'est ça ! s'exclama Skyrm. Je n'ai jamais pu la voir, Red Peter la gardait pour lui tout seul dans sa ca...

Il s'interrompit net, mais trop tard.

— Eh bien, mon cher Skyrm, lui dit Dalglish, j'ai comme l'impression que tu as participé à cette mutinerie et au vol du trésor... Je me trompe ?

Le maître d'équipage s'était dénoncé lui-même. Il ne servait plus à rien de nier.

— J'avoue, sir. Et je regrette, vous pouvez pas vous figurer comme je regrette...

— Des remords ? Venant de ta part, cela m'étonne.

— Oh, non, sir ! Je regrette pas d'avoir tenté le coup. Je le referais dix fois, si j'en avais l'occasion. Mais pas avec Peter Cockram, ça non !

— Que s'est-il passé ?

— Une nuit où on avait mouillé dans une crique, pas loin de l'île de la Tortue, il a décrété qu'on allait fêter notre prise. Le rhum a coulé à flots. Je ne sais pas quelle drogue il avait mis dedans. En tout cas, le lendemain matin, Cockram avait disparu. Évaporé, *pffffuitt* ! Avec le trésor et cinq gars qui l'avaient aidé... Ils ont eu bien tort, remarquez. Dans l'année qui a suivi, on les a retrouvés les uns après les autres la gorge tranchée...

— Ce qui fait que Cockram est le seul à connaître l'emplacement du trésor.

— « Était » le seul. Lui aussi il a... trépassé.

Un rictus de rancune aux lèvres, Skyrm pointa le doigt sur Lou.

— Il était là, celui-là. Par hasard. Et c'est lui qui a récupéré la carte.

Dalglish la regarda avec un intérêt tout neuf.

— Ce serait donc vrai, Lou ? Tu as cette carte ?

— Non. Je ne l'ai plus, répliqua-t-elle d'un ton buté. Et si je l'avais, je ne vous la donnerais sûrement pas !

— Ne l'écoutez pas ! Il m'a dit lui-même qu'il la connaissait par cœur, cette carte. Elle est « gravée » dans sa tête, ce sont ses propres mots !

Folle de rage, Lou recula dans le fond de la cabine.

— Vous pourrez me faire ce que vous voudrez, jamais je ne vous dirai rien ! Je vous méprise autant l'un que l'autre !

— Laissez-le-moi une heure, en tête à tête, sir ! Je vous jure sur le diable que je saurai le faire parler !

Dalglish lui posa une main sur l'épaule, dans un geste d'apaisement.

— Allons, allons, Skyrm… Je suis sûr que nous allons nous entendre avec Lou sans même lui toucher un cheveu, fit-il d'une voix douce. Je suis un être civilisé.

Cette fois, elle ne protesta pas. Elle commençait à se former une opinion sur Dalglish et elle savait sur lui au moins trois choses simples : il n'avait aucun scrupule, il était intelligent et il ne se montrait jamais si charmant que lorsqu'il fomentait un sale tour. Aussi se sentait-elle soudain plus anxieuse que s'il lui avait promis la torture et se demandait-elle ce qu'il manigançait.

Il gagna la porte, l'ouvrit et, avec une amabilité de comédie, il les invita à le suivre.

## 20.
## OÙ LE NEZ DE BARRY VAUT DIX MILLE FOIS SON PESANT D'OR

— Je peux vous poser une question, sir ? demanda Skyrm, alors qu'ils montaient sur le pont.

— N'hésite pas.

— Vous êtes bien d'accord que sans moi vous n'auriez jamais rien su, au sujet du trésor ?

— Je suis d'accord.

— Alors, d'après vous, ça vaut combien, ce genre de renseignement ? Vingt pour cent du butin ?

— N'est-ce pas un peu exagéré ?

— Bon. Eh bien, disons dix. Dix pour cent. C'est raisonnable, non ?

Dalglish lui sourit tandis qu'ils se mêlaient aux pirates qui finissaient de transborder la cargaison d'armes de la *Princess* au *Black Hawk*. Il fit signe d'approcher à un petit rouquin trapu qui portait un énorme anneau à l'oreille gauche, tout en disant à Skyrm :

— C'est toi qui n'es pas raisonnable.

— Comment ça ?

Le pirate roux se présenta devant Dalglish et se toucha le front en guise de salut.

— Cap'taine ?

Dalglish lui mit amicalement la main sur l'épaule, puis se tourna vers Skyrm et lui sourit encore une fois.

— Comprends-tu, au jeu il ne faut pas abattre ses atouts dès le début, mon cher. Ensuite, que te reste-t-il en main ? Certes, je te remercie de m'avoir mis dans la confidence. J'en ferai le meilleur usage, fie-toi à moi. Mais maintenant, à quoi peux-tu bien me servir ?

Skyrm était si stupéfait de ce revirement qu'il en resta coi.

— Tu vois ? fit Dalglish. Ton silence veut tout dire.

Il tapota l'épaule du pirate roux.

— Tue-le.

— Non ! Attendez ! hurla Skyrm, livide.

Lui tournant calmement le dos, Dalglish prit le bras de Lou et l'entraîna en direction de la dunette. Elle jeta un regard par-dessus son épaule. Elle n'éprouvait aucune espèce de pitié pour le maître d'équipage, mais le comportement de Dalglish la glaçait. Il avait pris un malin plaisir à se jouer de Skyrm et il en prenait à présent à le faire exécuter de sang-froid. Comme elle avait pu se tromper sur la qualité de cet homme… Et comme elle devrait s'en méfier à chaque instant…

Le pirate avait dégainé son sabre et avançait d'une démarche tranquille sur Skyrm qui, fuyant à reculons, grotesque et terrifié, criait :

— Monsieur Dalglish ! Je vous en prie ! Monsieur Dalglish ! Vous n'avez pas d'honneur si…

Dans sa fuite, il avait heurté le bastingage. Il ne pouvait plus s'échapper. D'un côté, la lame du sabre. De l'autre, les profondeurs de l'océan.

— Monsieur Dalglish !

Le sabre s'abattit sur lui en sifflant dans l'air. Lou détourna les yeux. Elle entendit un cri de douleur, puis, peu après, le bruit d'un corps tombant à l'eau.

— Affaire réglée. Nous revoici entre nous, lui dit Dalglish. Décidément, nous sommes nés pour partager des secrets, toi et moi.

— Nous ne partageons rien. Vous ignorez où est le trésor.

— Ignorance tout à fait provisoire…

Il appela le pirate roux qui avait remis son sabre au fourreau.

— Comment t'appelles-tu ?

— Gwyllin Gryffyd.

— Gallois, n'est-ce pas ? Eh bien, tu vas descendre dans la cale et m'en ramener le mousse de la *Princess*. Compris, Gwyllin ?

— Yo, cap'taine.

Ce que Dalglish manigançait, Lou ne le comprenait que trop bien maintenant.

— Vous n'avez pas le droit !

Elle chercha à frapper Dalglish au visage. Mais il était sur ses gardes. Il esquiva et l'attrapa par le cou, lui bloquant la respiration.

— Ne t'amuse pas à ça, ma petite Lou. Tu sais peut-être faire le coup de poing, mais avec moi tu as trouvé ton maître.

Son visage s'était durci, les coins de ses lèvres se retroussaient comme celles d'un loup qui gronde. Elle refusait de baisser les yeux. Il serra les doigts davantage. Privée d'air, elle se débattit. En vain. Il était trop fort. Elle dut baisser le regard. Elle se sentit humiliée, salie jusqu'au fond de l'âme d'avoir cédé. Il la libéra, avec un petit rire condescendant.

— Sale caractère, mais je te materai, crois-moi.

Sa gorge était trop meurtrie pour qu'elle puisse répliquer. De toute façon, il valait mieux se taire. À ce jeu-là, elle ne gagnerait pas.

Dès que Gwyllin le rouquin réapparut sur le pont, poussant Barry devant lui, Dalglish demanda à mi-voix :

— Où Red Peter Cockram a-t-il caché son trésor ?

Elle secoua la tête sans répondre.

— Dernière chance : où Red Peter Cockram a-t-il caché son trésor ?

— Vous ne le saurez jamais.

Il approcha les lèvres de son oreille.

— Tu aimes beaucoup Barry, n'est-ce pas ? Qu'est-ce que tu préfères chez lui ? Son visage ? Oui, je suis sûr que c'est son visage… Il a cette petite gueule d'ange canaille qui plaît aux filles… Tu penses qu'il serait aussi mignon avec, par exemple, un autre nez, un nez différent ? ... Ou alors… Ou alors sans nez du tout ?

Quelque chose se noua douloureusement dans l'estomac de Lou. La frayeur.

Dalglish claqua des doigts à l'adresse de Gwyllin.

— Prends ton sabre et coupe-lui le nez !

Comme s'il était accoutumé à ce genre d'ordres, le rouquin ne manifesta aucune surprise. Il tira son sabre de la main droite tandis que de la gauche il saisissait Barry par les cheveux. Il esquissa le mouvement de lever sa lame.

— Non ! cria Lou.

Gwyllin suspendit son geste et jeta un regard interrogateur à Dalglish.

— Tu tiens vraiment au nez de ce garçon, Lou ? demanda le lieutenant. Qu'est-ce que c'est, un nez ? Pas grand-chose. Quelques dizaines de grammes de chair et de cartilage. Tu y tiens si fort ?

— … Oui…

— Tu me l'échangerais, disons… contre trois coffres de doublons, un de vaisselle d'or et d'argent et un *Cheval des tempêtes* ? Ou trouves-tu que ce serait un marché de dupes ?

Elle ferma les paupières, pour ne plus rien voir, ni le

navire, ni Dalglish, ni Gwyllin et son sabre, ni, surtout, Barry. Elle marmonna quelques syllabes indistinctes.

— Qu'as-tu dit, Lou ? Je n'ai pas entendu. Répète, je te prie.

Elle soupira, redressa la tête, rouvrit les paupières et affronta les yeux noirs de Dalglish.

— L'île du Crabe, articula-t-elle.

Il inclina poliment le front.

— Je te remercie, chère Lou, d'avoir fait le premier pas. C'est toujours le plus difficile.

Il croisa les mains derrière les reins, carra les épaules, examina le ciel, tandis qu'elle se précipitait au-devant de Barry que, sur un signe du lieutenant, Gwyllin le rouquin avait libéré.

— Une bonne brise s'annonce. Ma foi, je crois qu'il est temps de se mettre en route.

Un sourire de triomphe éclatant illumina tout à coup son visage bruni par le soleil et ses yeux noirs.

— Cap sur l'île du Crabe !

# Troisième époque

## Le trésor de Red Peter Cockram

# 21.
# OÙ LE BLACK HAWK
# A UN RENDEZ-VOUS

— Si nous parlions de Red Peter Cockram ? Comment l'as-tu connu ?

— Par hasard et pendant très peu de temps. Skyrm venait de lui planter son couteau dans le ventre.

Damon Dalglish rit doucement.

— Et tu avais quinze ans ? Tu as d'excellents nerfs, ma bonne Lou. Sauf quand il est question de ton cher Barry…

Ils avaient repris leur route à bord du *Black Hawk*. Depuis trois jours, ils naviguaient dans la mer des Caraïbes. Ils passaient au large des nombreux îlots et îles qu'ils croisaient et il y avait deux vigies nuit et jour dans la hune : il s'agissait d'éviter toute rencontre avec un vaisseau anglais, français ou espagnol. La goélette, lourdement chargée, avait perdu de sa vitesse et de sa maniabilité. Elle avait rendez-vous avec un navire américain auquel Dalglish devait livrer la cargaison d'armes destinée à l'origine aux troupes britanniques. Il l'avait expliqué à Lou sans qu'elle lui demande rien. Elle ne savait si cela signifiait qu'il la considérait désormais comme sa complice ou s'il ne redoutait plus rien de son témoignage parce qu'il avait l'intention de bientôt se débarrasser d'elle. L'ayant découvert sous son vrai jour lors de la prise de la *Princess* par les pirates, elle aurait plutôt parié sur la seconde hypothèse. Pari qui ne l'amusait guère, car l'enjeu en était sa vie.

À sa grande surprise, après qu'elle lui eut révélé le nom de l'île où Red Peter Cockram avait caché le trésor, Dalglish n'avait posé aucune autre question. Il l'avait fait embarquer sur le *Black Hawk* en compagnie de Barry, leur avait donné la cabine jouxtant la sienne et avait abandonné la *Princess* à la dérive, non sans avoir pris soin d'abord d'en faire couper toutes les drisses et lacérer la plupart des voiles.

Les pirates avaient protesté contre ce qu'ils jugeaient une coupable mansuétude à l'égard de l'équipage anglais. Eux auraient préféré quelques exécutions par estrapade ou passage sur la planche, suivies d'un incendie de la frégate. Dalglish avait prouvé dans ces circonstances qu'il était un véritable chef.

Il s'était campé au milieu du pont, les poings sur les hanches, et leur avait calmement déclaré que ceux qui voudraient contrevenir à ses ordres devraient le tuer d'abord. Lou n'avait pu s'empêcher d'admirer son attitude, malgré tout le ressentiment qu'elle éprouvait pour lui. Ces hommes étaient des pillards et des assassins, mais il n'hésitait pas à les défier. Il était si sûr de les dominer que personne ne pouvait oser contester son pouvoir. À part moi, songea-t-elle alors avec une brûlante détermination. Mon heure viendra.

En attendant, elle était la plupart du temps confinée dans sa cabine. Après l'avoir remerciée d'avoir sauvé son nez – et probablement sa vie –, Barry lui avait réclamé des éclaircissements sur ce qui se passait. Elle s'était contentée de lui dire qu'elle détenait des renseignements que Dalglish convoitait et qu'elle avait passé un accord avec lui. Elle voulait le faire entrer le moins possible dans la confidence, selon le principe que, moins il en saurait, moins il courrait de risques. Mais il avait tant insisté qu'elle avait fini par lui raconter l'histoire de Red Peter Cockram et de son trésor.

— Un trésor ? s'était-il exclamé. Tu avais la carte d'un trésor, et pendant tout ce temps qu'on a passé ensemble tu ne m'en as pas dit un mot ? Moi qui t'hébergeais gracieusement dans un palais, moi qui t'ai appris toutes les ficelles de mon métier, moi qui t'ai nourri, choyé, couvé ? Tu n'es pas un véritable ami.

— Oh, je t'en prie, Barry ! Pour ce qui est de « couver quelqu'un », je crois qu'on est quittes, non ?

— Bon, tu m'as sauvé deux ou trois fois la vie, d'accord. Mais je m'aperçois maintenant que tu ne m'as jamais fait confiance. Tu ne m'as jamais parlé de ce trésor. Tu sais comment on appelle ça ? Un mensonge.

— Je ne t'ai pas « menti », comme tu dis. Je me suis contentée de me taire.

— Oh que si ! C'était un très très gros mensonge. Un mensonge par omission !

La mauvaise foi de Barry l'avait mise en colère. Mais davantage contre elle-même que contre lui. Il avait raison, au fond : elle ne lui avait pas fait confiance. Ce qui était une façon de lui mentir. « Par omission ». Et doublement. Et, s'il avait bien fallu lui parler du trésor, elle continuait d'« omettre » l'essentiel : sa nature de fille.

En passant son accord avec Dalglish, elle lui avait demandé de ne pas révéler son sexe. On ne pouvait prévoir, expliqua-t-elle, la réaction des pirates s'ils apprenaient la présence d'une femme à bord. Dalglish s'était montré tout à fait accommodant sur ce sujet.

— J'aime partager des secrets avec toi, lui avait-il dit. J'ai la superstition de croire qu'ainsi je partage aussi ta chance.

Du bout des doigts, il lui avait effleuré le menton.

— Barry est-il lui aussi exclu de cette… révélation ?

— Oui.

— Je ne comprendrai jamais ta façon de l'aimer, avait-il remarqué d'une voix perplexe.

Elle non plus, elle ne comprenait pas sa façon

d'aimer Barry. Mais Dalglish n'avait pas à le savoir. Elle aimait Barry comme un ami et comme un frère. Avec quelque chose de plus… Ce « quelque chose » la déroutait au point qu'elle préférait ne pas y penser. Car, comprenait-elle confusément, pour aimer Barry comme son cœur et sa chair l'y entraînaient, il faudrait d'abord qu'elle accepte et se mette à aimer la femme qu'elle était. Elle ne s'y sentait pas prête.

Une nuit, Dalglish fit mouiller le *Black Hawk* dans la crique d'un îlot à quelques milles de la Jamaïque. Un autre navire y était déjà ancré, tous feux éteints.

Après un échange de signaux lumineux qui parut le satisfaire, Dalglish donna l'ordre de porter la cargaison sur le pont. Cependant, l'autre bateau mettait à la mer deux grosses chaloupes. Elles vinrent rejoindre la goélette. Peu après, un homme montait à bord.

Il échangea quelques mots avec Dalglish. C'était un homme de haute taille, sec comme un hareng saur, portant un gilet rayé de bandes rouges et blanches. Il parlait avec un accent que Lou n'avait jamais entendu, un accent nasillard et rustique. C'est donc ça, un Américain, se dit-elle. Elle ne savait pas grand-chose de la guerre d'Indépendance, sauf ce que l'on répétait en Angleterre : que les *insurgents* s'étaient soulevés contre le roi parce qu'ils refusaient de payer les impôts nécessaires à la bonne et juste administration de la colonie. Elle connaissait aussi le sobriquet dont les affublaient les Anglais : *Yankees*.

Le transport des armes d'un navire à l'autre prit près de trois heures. Quand les dernières caisses furent descendues dans les chaloupes, l'aube était proche. Le Yankee donna une sacoche à Dalglish qui en ouvrit les poches et les inspecta minutieusement. Après quoi, les deux hommes se serrèrent la main et l'Américain s'en alla.

Les pirates n'avaient pas dormi, et ils avaient soulevé et déplacé des caisses pendant des heures. Ils ne paraissaient pourtant pas fatigués. Accoudés au bastingage ou debout sur le pont, ils assistèrent en silence aux préparatifs d'appareillage du navire américain, puis à son départ. Alors seulement ils poussèrent un grand cri unanime de réjouissance. L'affaire était conclue, le bateau yankee s'éloignait à l'horizon, il n'y aurait pas de coup fourré. Dalglish monta sur la dunette.

— Gentlemen ! les harangua-t-il. Nous voici plus riches de quelques milliers de guinées ! Demain nous procéderons au partage ! Pour l'heure, nous allons fêter dignement notre succès ! Faites couler les barils de rhum !

Une clameur enthousiaste lui répondit. Un groupe de pirates entonna un chant paillard tandis que les autres couraient chercher les tonnelets d'alcool. Dalglish les contempla un moment, le sourire aux lèvres. Puis il se tourna vers Lou et Barry.

— Laissons ces fauves s'amuser entre eux, leur dit-il. Ce n'est pas un spectacle pour des gens de qualité comme nous, mes jeunes amis.

Il les conduisit dans sa cabine, les invita à se mettre à l'aise et plaça trois verres et une bouteille de sherry sur la table.

— Ce qui ne nous empêchera pas de nous livrer nous aussi à quelques libations.

Il versa généreusement le vin, retira sa vareuse et s'installa à la table en leur compagnie. Il leva son verre.

— À la santé des Yankees ! Et à la mémoire de Red Peter Cockram, vieux ruffian des Indes !

## 22.
## OÙ DALGLISH SE FAIT CONTEUR

— L'histoire qui court au sujet de ce *Cheval des Tempêtes* est tout à fait baroque. Je suppose qu'il en existe des dizaines de semblables dans ces royaumes minuscules, et certains inaccessibles, qui pullulent aux Indes…

L'aube rapide des tropiques inondait déjà le hublot de soleil. Dalglish avait vidé à lui seul la moitié de la bouteille de sherry, avec l'aide de Barry. Quant à Lou, elle ne faisait que tremper les lèvres dans son verre. Garder l'esprit clair en toute occasion, c'était l'une de ses devises.

Le lieutenant, le visage adouci par une légère ivresse, s'était confortablement installé à demi étendu sur sa couchette. Les yeux dans le vague, il avait entrepris d'évoquer pour eux ce qu'il savait de la fameuse idole qui faisait partie du trésor de l'île du Crabe, le *Cheval des Tempêtes.*

— Il y a une douzaine d'années, un aventurier du nom de Witherspoon écumait les régions montagneuses du nord des Indes, dans les contreforts de l'Himalaya. Il avait à sa solde une vingtaine de gaillards sans foi ni loi, à la tête desquels il rançonnait les villages. Une véritable sinécure quand on a à sa disposition des armes à feu. Les indigènes de ces contrées vivent comme nos ancêtres du temps de la Bible. Je suppose qu'une salve de coups de fusil doit suffire à les terroriser.

» Quoi qu'il en soit, par la bouche du chef de l'un de ces villages, ce Witherspoon apprit l'existence d'un temple censé renfermer la très ancienne et très puissante idole d'une religion oubliée. Notre aventurier n'était pas particulièrement féru d'archéologie, j'imagine, mais la chose le passionna lorsqu'il comprit que le chef, dans son obscur dialecte, lui décrivait une statue d'or massif incrustée de diamants jaunes.

» Il jugea que cette statue aurait mieux sa place parmi son butin que dans cet endroit barbare et engagea le chef pour lui servir de guide. Il ne prêta qu'une oreille distraite aux avertissements qu'on lui fit : parvenir au temple était une entreprise très périlleuse, en revenir, un exploit que nul n'avait jamais accompli. Il se pensait de taille à affronter n'importe quel danger.

» Sans doute sa prétention était-elle justifiée, car

– après un voyage dont je vous épargne d'autant plus les péripéties que je ne les connais pas moi-même – il découvrit le temple. Un simple et misérable édifice de pierres sèches. Que rien ni personne ne protégeait. Pourtant, jonchant les alentours, des dizaines de squelettes brillaient au soleil, chaque os soigneusement nettoyé par les charognards. Le chef qui était son guide lui fit comprendre qu'il s'agissait là des restes de ceux qui avaient cherché à s'emparer du *Cheval des Tempêtes*.

» C'était la première fois que le nom de l'idole était prononcé. Et ce fut la dernière, car le chef lui faussa compagnie dès la nuit tombée. Witherspoon le laissa courir et, sans plus attendre, fit confectionner des torches à ses hommes, en alluma une et pénétra, seul, dans l'édifice.

» On ne l'avait pas trompé. La pièce était nue, exceptée une stèle posée en son centre. Sur cette stèle, il vit, cabrée, crinière au vent, la statue du cheval d'or. De petite taille – trois pieds de haut, environ –, elle scintillait à la lueur de la torche comme sous les rayons du soleil de midi. J'ignore s'il tomba à genoux, mais c'est ce que j'aurais fait à sa place, me prosternant devant le dieu universel : la richesse !

À ce mot, Lou vit briller dans les yeux noirs de Dalglish un feu cruel qui la fit frissonner.

— Saura-t-on jamais quelle folie s'est alors emparée de l'esprit de Witherspoon ? Il dut craindre qu'à la vue de l'idole ses hommes ne soient pris d'une dangereuse cupidité. Ou peut-être devint-il incapable d'envisager le partage de la moindre parcelle du cheval d'or ? Ce qui est certain, c'est qu'il attendit qu'ils soient tous endormis pour les égorger, un à un.

— Mauvais voleur, ce Witherspoon, fit remarquer Barry, d'un ton d'expert. Jamais de sang, c'est la règle ! Et encore moins celui de ses complices.

— Au matin, reprit Dalglish, il voulut charger la petite statue sur une mule : impossible ! Au plus léger contact avec le cheval d'or, les bêtes devenaient folles et s'enfuyaient. Il se résolut à la prendre avec lui sur son cheval. Même cause, mêmes effets : l'animal fut pris de terreur et détala. Witherspoon se retrouva seul, à pied, au cœur de montagnes hostiles, à des centaines de miles d'une région habitée.

» Il marcha. Ployant sous l'idole qu'il portait sur son dos. Il avait dû abandonner l'essentiel de son paquetage. Il ne garda pour tous vivres qu'un peu de viande séchée.

» Combien de temps marcha-t-il ainsi ? Des semaines ? Des mois, peut-être ? Un jour, on le trouva dans une rue de la ville de Shrinagar. Il était effrayant à voir. Moribond, à demi nu, squelettique et noir de crasse. Le dos déchiré des plaies à vif qu'y avait ouvertes le poids de l'idole. Lorsqu'on voulut le délester du sac où il la transportait, il s'y accrocha de toutes ses dernières forces.

» Il eut encore le temps de raconter son histoire. À ceux qui lui demandèrent pourquoi il n'avait pas abandonné l'idole en cours de route, ce qui, en le soulageant de ce fardeau, lui aurait sans doute sauvé la vie, il n'opposa d'autre réponse qu'une sorte de rugissement atroce en se blottissant désespérément contre le sac contenant le cheval d'or. Il paraît que son visage décharné s'illumina d'un sourire d'extase et qu'il expira en proférant ces derniers mots : « Ma fortune… »

— Eh bien, quelle histoire, dit Barry. Vous croyez qu'elle est vraie ?

— Je l'ai entendue à Londres, colportée par des hommes dignes de foi – si ce genre d'hommes existe. Mais elle n'est pas terminée.

Barry, les joues rouges, posa les pieds sur la table et se renversa sur sa chaise. Décidément, se dit Lou, il a trop bu…

— On vous écoute, monsieur Dalglish ! déclara le jeune homme.

Le lieutenant contempla un instant son verre de sherry que dorait un rai de soleil filtrant par le hublot. Puis il poursuivit son récit.

— À Shrinagar, personne en tout cas ne mit en doute l'histoire de Witherspoon. Il ne se trouva pas un seul habitant pour oser seulement toucher au sac contenant la statue. On eut les plus grandes peines du monde à séparer le cadavre de l'aventurier et l'idole à laquelle il semblait s'agripper jusque par-delà la mort. On brûla sa dépouille, selon le rite funéraire du pays, et on laissa le cheval d'or à l'endroit où il était tombé avec son voleur. La superstition de ces gens-là est si forte qu'elle surpasse même l'attrait de l'or et des diamants. D'ailleurs – c'est là un détail fort significatif – personne à Shrinagar n'a jamais vu l'idole car personne ne s'est aventuré à seulement jeter un coup d'œil dans le sac. Les propos de Witherspoon, son aspect et sa détermination atroce à ne pas s'en séparer avaient suffi à les convaincre de la véracité de ses dires et de l'existence du cheval d'or.

» Ainsi, pendant des semaines, put-on voir un sac au milieu d'une rue de Shrinagar, un sac auquel nul ne touchait, un sac dont chacun s'écartait d'au moins trois pas s'il venait à passer par là.

» L'histoire, toutefois, se répandit peu à peu dans la région et parvint enfin aux oreilles d'un Anglais. Il était lui-même une sorte d'aventurier, mais d'une espèce scientifique. Voire érudite. Il parcourait les Indes depuis des années afin d'y collationner récits et légendes relatifs aux croyances des indigènes. Ceux qui l'ont connu disent qu'il était doté de la même qualité de courage physique qu'un Witherspoon, mais au service d'une brillante intelligence. Sais-tu, Lou, comment se nommait ce remarquable individu ? Peter Willoughby Cockram.

— Red Peter !

— Oui, Red Peter. Il avait gagné ce surnom à porter de sempiternels gilets rouges, lesquels, selon, paraît-il, ses propres termes, étaient « moins salissants lorsque vous êtes dans la désagréable obligation de tuer un homme au couteau » …

— Charmant personnage, fit Barry.

— Il avait ses bons côtés, je crois. Par exemple, il était un homme de décision ferme et prompte. Dès qu'il apprit l'histoire de l'idole et de Witherspoon, il partit pour Shrinagar. Il devinait là l'occasion de découvrir les preuves matérielles de l'authenticité des légendes dont il était féru. Ce qu'il ignorait, c'est qu'au même moment le colonel Sharp prenait lui aussi le chemin de Shrinagar à la tête d'un peloton d'une vingtaine de soldats.

» Laissez-moi vous présenter ce colonel Sharp. J'ai eu l'occasion de le rencontrer à Londres, et c'est de lui que je tiens la plupart des faits que je vous raconte.

» Imaginez un homme d'âge mûr plus grand que moi d'une tête et plus large du double. Un colosse. Officier sorti du rang, il a fait toute sa carrière aux Indes et s'est illustré dans de multiples combats. Quand je l'ai rencontré à Londres, il était en uniforme d'apparat : sa poitrine, pourtant impressionnante, ne paraissait pas assez vaste pour y ranger toutes ses décorations.

» C'est donc ce soldat qui entra dans Shrinagar quelques heures seulement après Peter Cockram. C'est ce soldat qui, de son côté, avait appris ce qu'il appelait "l'affaire Witherspoon" et avait décidé d'aller voir par lui-même de quoi il retournait. C'est ce soldat, enfin, qui considérait comme de son devoir de – j'emploie ses propres termes – « localiser et identifier l'objet cultuel indigène, le réquisitionner et l'envoyer à Sa Majesté selon tout moyen approprié ».

Dalglish rit tout bas.

— Ce sacré colonel Sharp… Un vrai soldat. Prêt à tout pour le roi !

» Bref. La rencontre a lieu dans une rue de Shrinagar, autour d'un banal mais néanmoins mystérieux sac de toile, et sous les yeux d'une foule qui s'est assemblée en hâte. Cockram s'apprêtait à ouvrir le sac lorsque Sharp survient, à la tête de son peloton de cavaliers. S'ensuit un échange de propos, sans doute courtois de la part du colonel, probablement plus vifs de la part de Red Peter.

» Reste que, devant l'autorité et la force, il est contraint de s'incliner. Non sans une arrière-pensée, je suppose. Sharp descend de cheval et s'approche du sac. Cockram le prévient : qu'il l'emporte, soit, puisqu'on ne peut s'y opposer, mais qu'il se garde bien de l'ouvrir, il le regretterait jusqu'à sa mort.

» Sharp est intrépide sur le champ de bataille, mais il a trop longtemps vécu aux Indes pour ne pas avoir eu cent occasions d'assister à des phénomènes que même le bon sens anglais ne peut expliquer. De plus, il a entendu parler de Cockram et, s'il méprise l'aventurier, il respecte le savant. Il lui explique donc qu'il ne peut faire porter au roi jusqu'en Angleterre un sac dont il n'a pas vérifié le contenu. Mais que, d'autre part, s'il admet que Cockram a dit vrai, il ne peut ouvrir le sac, en conséquence de quoi la situation est bloquée. Car il est hors de question qu'il quitte les lieux sans avoir vérifié le contenu d'un sac qu'il ne peut pourtant vérifier.

» Cockram convient que le problème est difficile et lui propose un marché. Lui sait comment ouvrir le sac sans que l'on coure le moindre danger. Il se propose de le faire, à condition que le colonel lui permette ensuite d'étudier à sa guise l'objet qu'il contient avant son transport vers l'Angleterre. Ne voyant rien là qui contrevienne aux principes d'un loyal serviteur du roi, Sharp accepte.

» Cockram s'agenouille alors près du sac et, à voix basse, prononce une mystérieuse formule. Il la répète à deux reprises, puis, devant la foule silencieuse et le colonel impassible, il dénoue la corde fermant le sac.

Dalglish s'interrompit, le temps d'emplir à nouveau son verre. Lou se rendit compte que les chants et les rires des pirates se taisaient peu à peu sur le pont. Bientôt ils dormiraient du sommeil des ivrognes. Et Barry aussi, se dit-elle, dont les paupières paraissaient de plus en plus lourdes. Seul l'intérêt du récit les maintenait encore un peu ouvertes.

— Je me souviens que le colonel Sharp a essayé de m'expliquer le choc qu'il avait ressenti en voyant l'idole soudain dévoilée. Mais le vocabulaire et la sensibilité lui faisaient défaut. Il semble, si j'ai bien compris, que la vue du *Cheval des Tempêtes* provoque une sorte de « révélation ». Non pas dans je ne sais quel sens mystique du terme. Ou alors, m'a dit Sharp, ce serait « la mystique du diable ». Dès que l'idole est apparue sous ses yeux, resplendissante d'or et de diamants, insolente dans son attitude impétueuse de cheval cabré, il a été victime d'un étourdissement aussi fugitif que violent. « Des milliers d'images se sont entrechoquées dans ma tête, m'a-t-il dit, et je vous prie de croire qu'elles n'avaient rien d'agréable. Comme… comme si le diable faisait défiler dans mon esprit l'épouvantable catalogue de tous les péchés et vices de l'humanité. » Oui, voilà l'effet qu'a produit le *Cheval des Tempêtes* sur cette brave bête de colonel par ailleurs parfaitement dénuée d'imagination…

» Je me rappelle avoir plaisanté : « *Le Cheval des Tempêtes* ! Dites-moi, colonel, ce sont des tempêtes sous un crâne que vous me décrivez là ! » Il a frissonné, et c'était troublant de voir ce colosse, confortablement installé dans l'atmosphère feutrée de ce club londonien, blêmir comme une jeune fille. « J'aimerais que ce n'ait été que cela », m'a-t-il dit d'une voix sombre, avant de poursuivre son récit.

» Après avoir vu le cheval d'or de ses propres yeux, Sharp ordonna à Cockram de refermer aussitôt le sac. Il pensait encore n'avoir été victime que d'un bref étourdissement sans conséquence. Sur la demande expresse de Red Peter, il consentit à se procurer une caisse de plomb pour assurer son transport. En attendant, il lui laissa toute latitude pour étudier l'objet et le fit porter dans la maison que Cockram avait louée à cet effet.

» Une semaine plus tard, Sharp recevait la caisse de plomb. Il se rendit avec une escorte chez Cockram pour récupérer l'idole. Et là, que trouve-t-il ? Red

Peter étendu inconscient sur le sol, la jambe broyée sous le genou par le cheval d'or. Comment la statue était-elle tombée ? Impossible à deviner. Sharp fit appel à un chirurgien militaire qui amputa Cockram. Quant à celui-ci, il refusa de raconter ce qui lui était arrivé. Sharp lui annonça qu'il prenait dès le lendemain la route de Bombay, où il embarquerait le *Cheval des Tempêtes* à destination de l'Angleterre. « J'ai cru que Cockram avait perdu la raison, me dit il. Il m'a saisi le poignet avec une vigueur extraordinaire et m'a menacé de mort si j'emportais l'idole. Il a fallu lui administrer de force une bonne dose de laudanum pour qu'il se calme enfin. »

Dalglish se leva et alla ouvrir le hublot. Il faisait déjà très chaud dans la cabine où une brise lourde et moite entra.

— Quand le colonel Sharp et son escorte arrivèrent à Bombay, un mois plus tard, ils n'étaient plus que quatre. Quatre hommes épuisés et hagards. Leur voyage avait été une suite de catastrophes. À plusieurs reprises, l'essieu du chariot transportant le cheval d'or s'était brisé. Les accidents s'étaient multipliés, coûtant la vie aux soldats les uns après les autres. Traversant la jungle, ils avaient été attaqués plusieurs fois par des tigres que la proximité de l'idole semblait rendre fous de rage.

» Sharp lui-même n'avait dû qu'à la chance et à sa forte constitution de sortir indemne d'une chute de cheval dans un ravin. Le bon sens anglais et le manque d'imagination ne lui étaient plus d'aucun secours quand il parvint enfin à Bombay : il était persuadé que cette statue était maudite. Il fut, me dit-il, plus soulagé d'en laisser la responsabilité au commandant du *Greyhound* qui devait l'apporter jusqu'en Angleterre, qu'il ne l'avait été après avoir survécu aux combats les plus sauvages.

Dalglish s'assit à la table et se versa les dernières gouttes de sherry.

— La suite de l'histoire, vous la connaissez comme moi. Red Peter Cockram est arrivé à Bombay avant le colonel Sharp et a réussi à se faire embaucher comme cambusier sur le *Greyhound*.

» J'ignore comment il en a convaincu une partie de l'équipage, toujours est-il qu'il a organisé une mutinerie peu après le passage du cap de Bonne-Espérance et qu'il s'est emparé du navire. Et du *Cheval des Tempêtes*. On sait qu'il a pris le chemin des Caraïbes, qu'à l'île de la Tortue il a faussé compagnie à ses hommes, dont Skyrm, en emportant l'idole. Il semble qu'il l'ait cachée quelque part et qu'il ait pris soin d'éliminer un à un ceux qui l'avaient aidé dans cette entreprise.

Il leva les yeux sur Lou.

— Enfin, dans un bourg du Leicestershire (quelle lubie ou quelle nostalgie l'avait-elle ramené en Angleterre ? Mystère…), il est tombé sur Skyrm. Et sur toi. Avant de mourir, il t'a légué la carte de son trésor. Et maintenant, nous sommes là, parmi les îles Caraïbes, à pied d'œuvre ! Alors, Lou, où allons-nous dénicher cette fameuse île du Crabe ? Que te révèle la carte « gravée » dans ton esprit ?

Un ronflement lui répondit : Barry avait succombé au sommeil et au sherry. La nuque en arrière, bouche ouverte, il dormait sur sa chaise, les pieds sur la table. Lou soutint longuement le regard noir et attentif de Dalglish, avant de prononcer d'une voix lente :

— 22… 17… N… 68… 14… W…

Dalglish se renversa contre le dossier de sa chaise et joignit les mains.

— 22 degrés 17 minutes Nord. 68 degrés 14 minutes Ouest. Latitude et longitude. Magnifique.

Il alla chercher une carte qu'il déploya sur la table. Il promena lentement le bout de son index entre les points irréguliers représentant des îles. Il l'immobilisa sur un espace vierge, en pleine mer.

— L'île du Crabe se situerait donc là.

Il tapota la nuque de Lou.

— J'espère pour toi qu'on la trouvera.

— Sinon… ?

Il se caressa le menton.

— Sinon, ma chère, nous apprendrons si tu nages plus vite que les requins…

## 23.
## OÙ LE BLACK HAWK S'ENCALMINE PUIS S'EMBRUME

Quelques jours plus tard, trois heures après le lever du soleil, le *Black Hawk* approchait, sous voilure réduite, d'un brouillard masquant l'horizon comme des nuées d'orage. La vigie l'avait signalé quelque temps plus tôt, le prenant d'abord pour l'une de ces tempêtes très localisées et très violentes comme certains navires ont le malheur d'en essuyer dans ces eaux tropicales.

Alerté, Dalglish monta sur la dunette, en compagnie de Barry et de Lou. Il scruta longtemps à la longue-vue cet étonnant nuage reposant sur la mer.

— Voilà un bien étrange phénomène… Ni un cyclone, ni un grain… Tu as fait le point ? demanda-t-il au pilote, Gwyllin le rouquin.

— Yo, cap'taine. Nous arrivons à destination.

Le Gallois pointa le doigt sur le nuage immobile et menaçant à quelques encablures.

— 22° 17' Nord, 68° 14' Ouest. C'est là, cap'taine.

— Bien, dit Dalglish d'un air soucieux. Garde le cap droit dessus. Paré à virer à tout moment.

La brise, auparavant fraîche, faiblissait au fur et à mesure que le *Black Hawk* approchait. La masse compacte du nuage semblait presque solide. De plus près, sa couleur virait au jaune soufre. Un jaune clair et mat qui n'accrochait pas la lumière pourtant vive du soleil tropical.

— Je n'aime pas ça, murmura Dalglish.

— On dirait une espèce de brouillard, remarqua Barry. Ça me rappelle le *fog* londonien. En pire…

L'équipage, sur le pont et dans la mâture, restait silencieux. On percevait un certain effroi parmi ces hommes pourtant habitués au danger. Aucun d'entre eux n'avait jamais vu quoi que ce soit ressemblant à cela.

À moins d'une encablure du nuage ou du brouillard – ou quelque autre vapeur ou mirage que ce fût –, le vent cessa tout à fait. Les voiles faseyèrent dans un bref frémissement, puis retombèrent telles de lourdes étoffes gorgées d'eau. La chaleur était brusquement montée de plusieurs degrés, étouffante et chargée d'humidité. La goélette courait encore sur son erre, mais à une allure anormalement lente, comme si l'étrave s'enfonçait dans une boue épaisse. Bientôt, elle s'arrêta, saisie d'une immobilité que Lou ne put qualifier que de « surnaturelle ». Le bout-dehors du *Black Hawk* frôlait le brouillard jaune sans plus y pénétrer que dans un mur. Le silence, s'aperçut-elle, était total. On n'entendait pas même le clapotis des vagues contre la coque.

Dalglish fut le premier à oser prononcer un mot. Un simple mot :

— Alors ?

Il s'adressait à Lou. Elle haussa les épaules.

— Rien sur la carte ne signalait ce…

Elle fit un geste d'impuissance pour désigner la muraille de brume soufre qui se dressait devant eux.

— Ou bien je n'y ai pas prêté attention.

— Réfléchis bien. Red Peter a sûrement laissé une indication. Quelque chose…

Sans s'en rendre compte, ils parlaient à voix basse. Comme par crainte respectueuse face au phénomène étrange auquel ils étaient confrontés. Lou repassait dans sa tête le plan de l'île, y cherchant en vain ce qui lui échappait. Dans son désarroi, elle prit distraitement Barry par la main. Une main glacée, malgré la chaleur accablante.

La lumière se fit brusquement dans son esprit. Cette main que la frayeur rendait si froide, elle lui en rappela une autre, glacée par l'approche de la mort. Celle de Red Peter Cockram. Et un mot qu'il avait prononcé : sésame.

Elle laissa sans explication Dalglish et Barry sur la dunette et, passant parmi les pirates qui la suivaient des yeux sans une parole ni un geste, remonta le navire jusqu'à la proue. Là, elle leva les yeux sur le gigantesque nuage jaune et prononça à trois reprises la formule que Red Peter lui avait apprise :

— *Al letno medna itsirc.*

Dans un long gémissement de toutes ses membrures, le *Black Hawk* se remit à avancer. Pourtant aucune brise ne gonflait ses voiles. Il avançait comme aspiré par le brouillard.

Quand la proue du navire s'y enfonça, les pirates, effrayés, reculèrent. Certains descendirent se réfugier dans l'entrepont, d'autres montèrent sur la dunette. Dalglish ne protesta pas. Il se tourna vers Gwyllin.

— Reste paré à virer au moindre danger.

— Inutile, cap'taine. La barre ne m'obéit pas.

Il lui montra ses mains, paumes ouvertes vers le ciel.

— Quel est ce damné… ?

Dalglish non plus ne trouvait pas de mot pour nommer ce qu'il voyait. Devant lui, la proue disparaissait tout entière dans le brouillard, qui avait aussi englouti la silhouette de Lou. Qu'allait-il se passer ? Allaient-ils se dissoudre dans ce silence et cette obscurité jaune ? L'angoisse lui nouait la gorge et l'estomac. Près de lui, Barry hurla :

— Lou ! Louououou !

Le jeune homme, n'y tenant plus, dévala l'escalier de la dunette et se précipita sur le pont. Il n'hésita qu'un instant avant de se jeter dans le brouillard qui enveloppait à présent plus de la moitié du navire.

Il n'éprouva rien d'autre qu'une sensation de froid humide et celle d'être soudain devenu aveugle et sourd. Une chair de poule le parcourut des pieds à la tête.

— Lou ! Louououou !

Il hurlait mais c'était comme si les sons ne sortaient pas de sa bouche, ou plutôt comme si ce brouillard diabolique les gelait sur ses lèvres. Lui-même ne les entendit pas. Il eut alors très peur. Très froid et très peur. Il avait l'impression que le temps lui-même s'était arrêté, congelé comme ses cris. Il fit volte-face. Rien. Il ne voyait plus rien derrière lui. Le navire avait été absorbé par le brouillard – disparu, volatilisé. Anéanti ?

— Je suis là.

Un souffle tiède contre son oreille.

— Lou ?

— N'aie pas peur.

Il ne la voyait pas. Mais il sentit une main qui se glissait dans la sienne, et ce contact l'apaisa.

Elle, elle tenait la main de Barry, et elle fut prise de l'envie de tout lui avouer. Là. Maintenant. Elle ne savait pas s'ils sortiraient de ces ténèbres couleur soufre, si dans quelques minutes, quelques instants, ils seraient encore vivants. Elle venait de comprendre que rien n'était plus important pour elle que Barry, pas même le trésor. Et qu'il avait été absurde de lui cacher qui elle était vraiment, quels sentiments elle éprouvait pour lui, aussi absurde que la situation dans laquelle elle les avait fourrés en les faisant pénétrer dans ce brouillard ! Elle ne voulait pas mourir, être séparée définitivement de lui sans qu'il sache, enfin !

Sa résolution était prise. Elle se pencha à son oreille.

— Barry... Je dois absolument te dire quelque chose...

— Oui ?

Alors un cri transperça le brouillard :

— Le ciel !

C'était la voix et l'accent de Gwyllin le Gallois.

— J'vois le ciel, cap'taine !

Devant la proue du *Black Hawk*, le nuage, le brouillard – mais qu'était-ce, en réalité ? – se dissipait. Une luminescence bleutée prenait la place du jaune soufre.

— On sort de cette crénom de purée de poix, cap'taine !

— À la barre, Gwyllin ! ordonna la voix de Dalglish. Elle répond ?

— Yo, cap'taine ! J'sens qu'ça vient, j'sens qu'ça vient !

Enfin les ténèbres jaunes s'ouvrirent comme un rideau déchiré par le navire dont les voiles se gonflèrent. Il fit tout à coup si clair que Lou, éblouie, dut fermer les paupières.

— Ouais ! s'écria Barry. On a réussi à passer !

Elle rouvrit les yeux. Et ils lui montrèrent une île.

Une île au relief arrondi, qui paraissait tendre vers le *Black Hawk* ses deux caps en forme de pinces. Tel un crabe géant pétrifié sur l'océan.

— Choquez les écoutes ! Abattez le foc et la trinquette ! Ferlez les huniers et la grand-voile ! commandait Dalglish. Nous allons jeter l'ancre près du cap à bâbord !

Barry se rendit compte qu'il tenait toujours Lou par la main. Il la retira avec un sourire d'excuse et jeta un regard inquiet aux alentours.

— Heureusement que… enfin…

Il agitait les doigts, embarrassé.

— Je veux dire… Heureusement que personne ne nous a vus, sinon ces types, je ne sais pas ce qu'ils seraient allés s'imaginer…

— Oui, comme tu dis, grogna-t-elle. Heureusement que personne ne nous a vus…

Et elle lui tourna le dos et se dirigea d'un pas rapide vers la dunette.

— Hé, Lou ! Qu'est-ce que tu voulais me dire tout à l'heure ?

— Rien !

— Lou ! Qu'est-ce qu'il y a ? Tu es fâché ?

Elle ne lui répondit pas. Elle lui en voulait trop. Rien, rien ! Il n'avait rien ressenti quand elle lui tenait la main. Elle avait espéré elle ne savait quoi – qu'une espèce d'« intuition du cœur » l'aurait frappé, qu'il aurait soudain deviné que ce n'était pas une main masculine qui était dans la sienne ! Dalglish avait raison :

Barry n'était qu'un petit imbécile ! Il ne méritait pas la vérité. Il ne la méritait pas, *elle* !

— Tu as l'air furieuse, lui dit le lieutenant quand elle l'eut rejoint sur la dunette. Tu devrais te réjouir, au contraire. Tu nous as conduits à l'île du Crabe !

— Je m'en suis aperçue, figurez-vous.

Il baissa la voix.

— Est-il envisageable que tu m'expliques ce que tu as dit ou fait pour que le navire se remette à avancer ?

— Non. Et jetez-moi aux requins si ça peut vous faire plaisir.

— Quelle humeur…

Il alla s'accouder au bastingage et jeta un long regard panoramique sur l'île du Crabe.

— Elle est plus vaste que je ne m'y attendais. J'espère que ta… « carte mentale » est suffisamment précise ? Je n'aimerais pas avoir à piocher pendant des semaines.

— Vous verrez bien.

Sur quoi, elle descendit dans sa cabine, se jeta sur sa couchette et, pour la première fois de sa vie, fondit en sanglots.

# 24.
# OÙ L'ON CHERCHE
# UN OISEAU ROUGE

Dès que le *Black Hawk* fut au mouillage, Dalglish distribua les tâches afin d'occuper l'équipage. Il envoya une dizaine d'hommes à terre avec mission de s'assurer que l'île était bien déserte et de trouver des fruits et de la viande fraîche, ainsi qu'une source pour y renouveler la réserve d'eau. Il laissa la goélette à la garde d'une demi-douzaine de pirates et embarqua dans une chaloupe, en compagnie de Lou, Barry, Gwyllin et deux autres matelots. Ils s'étaient munis de pelles, de pioches, de fusils, d'un rouleau de corde et d'une boussole.

Ils abordèrent sur la longue plage de sable noir qui s'étendait entre les deux caps en forme de pinces. Derrière, poussaient des mancenilliers, au-delà desquels se dressaient les grands arbres d'une forêt tropicale enserrant un mont aux flancs gris anthracite.

Dalglish fit quelques pas dans le sable tandis que ses hommes tiraient la chaloupe au sec. Il sortit une longue-vue de sa ceinture et entreprit d'inspecter les lieux.

— À présent, Lou, je m'en remets à toi. Quel était, selon toi, le principal repère sur la carte de Cockram ?

— Une colline. Red Peter l'avait nommée : Black Hill, la Colline Noire.

La lunette de Dalglish s'arrêta sur un point précis.

— En fait de colline, je ne vois que ce mont, là-bas. Regarde.

Il lui passa la longue-vue. Elle y colla son œil. Elle vit, comme s'il était presque à portée de main, un sommet qui ressemblait à une bouche noire béant sur le ciel. Elle distingua les volutes d'une fumée aux reflets jaunâtres qui s'en échappaient par bouffées sporadiques.

— Ce n'est pas une colline…

— Certes pas. C'est un volcan. Ces îles en sont truffées.

Il lui reprit la lunette afin d'examiner à nouveau le volcan.

— Celui-ci m'a l'air bien réveillé… Je n'aime pas beaucoup ça. Qu'en penses-tu ?

— Pourquoi sommes-nous là ? fit-elle d'un ton sec.

— Tu as raison. Ne nous laissons pas effrayer par un peu de fumée.

Il rangea la longue-vue dans sa ceinture.

— En route ! Nous te suivons, Lou. C'est toi qui commandes.

Il lui cligna de l'œil.

— Pour l'instant.

Il avança d'un pas décidé, suivi par Gwyllin et les deux matelots. Lou ne bougea pas, retenant Barry par le poignet.

— Que t'arrive-t-il ? lui demanda Dalglish lorsqu'il s'en aperçut.

Elle désigna la ceinture du lieutenant où étaient enfoncés deux pistolets et un poignard.

— Je veux une arme.

— À quoi te servirait-elle ?

— À me rassurer.

Il l'examina, une lueur maligne dans l'œil.

— Cette clause ne figure pas dans notre contrat.

— Nous n'avons pas de contrat. Je suis donc libre de renégocier quand cela me plaît.

Elle remarqua le regard de Dalglish vers Barry.

— N'y comptez pas, le prévint-elle. Au moindre geste, Barry et moi, nous filons. Aucun de vous n'a une chance contre nous à la course.

— Et après ? Que ferez-vous tout seuls dans cette île ? Vous ne…

— Chaque chose en son temps, le coupa-t-elle. Vous me la donnez, cette arme, ou non ?

Il soupira, puis sourit.

— Moi qui croyais que nous étions devenus amis…

— Nous sommes partenaires, Dalglish. Et j'ai vu, avec Frowd, le sort qui les attend.

Il jeta un bref coup d'œil vers les trois pirates.

— Un malencontreux incident…

— Je connais une autre version. Qui, j'en suis sûre, passionnerait votre équipage.

Gwyllin fronça les sourcils, regardant tour à tour Lou et Dalglish. Un soupçon bien fondé venait de lui effleurer l'esprit. Le lieutenant prit le parti de rire.

— Sacrée Lou ! Tu serais capable de tout, n'est-ce pas, même de mentir ?

— En matière de mensonge, vous êtes mon maître.

Elle lut dans les yeux de Dalglish, au travers du rire, une menace qui, en d'autres temps, l'aurait fait frémir. Mais, à présent, elle était prête à braver n'importe qui et n'importe quoi. Les larmes qu'elle avait versées dans la cabine, deux heures plus tôt, l'avaient comme nettoyée de tout désir de préserver sa vie. Barry restait obstinément aveugle à sa nature de femme ? Eh bien, elle se conduirait comme un homme, elle serait brutale, inconsciente et stupide !

— Très bien, Lou. Si près du but, nous n'allons pas nous fâcher…

Dalglish tira un pistolet de sa ceinture et le lança à Lou, qui l'attrapa avec adresse.

— Donnez l'autre à Barry. Et n'oubliez pas la poire à poudre, les amorces et les balles.

Sans cesser de sourire, il fit ce qu'elle lui ordonnait.

— Nous pouvons nous mettre en marche, à présent ? demanda-t-il d'un ton d'ironique soumission.

Elle ficha le pistolet dans sa ceinture et se planta les poings sur les hanches.

— Allons-y.

Ils remontèrent la plage, traversèrent le bois de mancenilliers et s'enfoncèrent dans la forêt. Le sous-bois était dense et résonnait de cris d'animaux inconnus. Il y régnait une chaleur humide qui les mit tous en sueur comme s'ils avaient été plongés dans un bain d'huile. Gwyllin ouvrait le chemin, suivi des deux matelots, West et Taylor, puis de Dalglish. Barry et Lou fermaient la marche. Le coutelas du rouquin découpait des fougères arborescentes de plus de dix pieds de haut, des lianes plus épaisses qu'un arbuste. Le groupe progressait en silence. Lou gardait les yeux fixés sur le dos de Dalglish. Elle n'avait pas un regard pour Barry.

Deux heures plus tard, ils sortaient de la forêt tropicale. Un paysage entièrement différent s'offrit à eux : une savane. L'herbe, haute et jaunie par la chaleur, était parsemée de cailloux gris. Lou en prit un dans sa main : il ne pesait presque rien.

— De la pierre volcanique, lui dit Dalglish. De la lave durcie, si tu préfères.

Ils levèrent ensemble les yeux vers la Colline Noire dont la masse conique s'élevait au milieu de la savane. Il sembla à Lou que les fumées du cratère s'étaient épaissies. Une odeur immonde lui fit plisser le nez.

— Désagréable, n'est-ce pas ? dit Dalglish. Ce n'est pas l'île du Crabe, mais l'île du Diable : ça sent le soufre.

— Que se passera-t-il si le volcan se réveille ? demanda Barry qui, en vrai citadin, se défiait de tous les phénomènes naturels.

— Eh ben, on cuira comme des saucisses dans la braise, répondit Gwyllin.

— Quelle horreur…

— Quoi ? fit Taylor en rigolant. T'aimes pas les saucisses, p'tit gars ?

Dalglish leva la main pour les faire taire.

— Lou, quelle est l'étape suivante ?

— Il faut traverser une rivière.

— Dans quelle direction la cherchons-nous ?

— Au nord.

Ils reprirent leur marche. La cime des herbes leur arrivait à la taille. Le sol était dur, sec, couturé de crevasses. Barry ne cessait de surveiller les alentours avec inquiétude.

— Tu crois qu'il y a des animaux ? demanda-t-il à Lou. Des bêtes sauvages, je veux dire. Féroces.

D'un coup de menton, elle lui désigna le dos de Dalglish qui marchait deux pas en avant.

— La bête la plus féroce, elle est juste devant toi.

Elle ne lui avait pas accordé le moindre regard. Il examina son profil buté, hésita, puis se décida à poser une question :

— Qu'est-ce que je t'ai fait, Lou ? Pourquoi tu me fais la tête ? On n'est plus copains ?

Copains ! Elle l'aurait giflé.

— Tais-toi et regarde où tu mets les pieds.

Il entrouvrit les lèvres pour répliquer, se ravisa, les referma. Il se dit que Lou avait bien changé depuis qu'ils avaient quitté Londres. Jamais il ne lui aurait parlé sur ce ton lorsqu'il dépendait de lui pour survivre. D'accord, maintenant la situation s'était renversée et il lui devait la vie. Mais tout de même ! Jamais, lui, il ne l'avait traité comme ça sous prétexte qu'il lui offrait le vivre, le couvert et les arcanes de son art ! Blessé, il décida de bouder.

— Et maintenant ? demanda Dalglish.

Ils avaient atteint la rivière. Ses eaux torrentueuses écumaient sur des rochers. Lou observa le paysage autour d'elle. Elle vit un bosquet de cocotiers, à quelques centaines de yards de l'autre côté de la rivière.

— Là-bas !

À ce moment, le matelot West s'écria :

— Regardez, cap'taine !

Ils tournèrent tous la tête, suivant la direction de son

geste. Du cratère du volcan jaillissait une fumée qui, de jaune, virait au rouge feu. L'instant d'après, un grondement lugubre venu des tréfonds de l'île ébranla le sol sous leurs pieds.

— Le volcan se réveille, cap'taine ! s'écria Taylor.

— Il faut retourner au *Black Hawk* ! renchérit Gwyllin, devenu si pâle que ses taches de son paraissaient aussi rougeoyantes que la fumée de la Colline Noire.

— Du calme !

Les yeux noirs de Dalglish étincelaient de colère. Il fit un pas vers les trois pirates et les toisa de toute sa morgue.

— Écoutez-moi bien. Nous sommes venus jusqu'ici dans un but bien précis. Cela ne nous prendra que quelques heures. Si ce damné volcan doit se réveiller, nous serons déjà repartis.

Gwyllin ne put s'empêcher de jeter un regard inquiet vers le cratère fumant.

— Quand même, c'est dangereux, cap'taine…

Dalglish fit un autre pas, menaçant, dans sa direction.

— Le premier lâche qui s'enfuit, je l'abats. Compris ?

Les trois hommes, bien que manifestement nerveux, comprirent qu'il valait mieux se soumettre.

— À vos ordres, cap'taine.

— J'aime mieux ça. Nous allons traverser ce torrent. Ne mouillez pas la poudre et ne perdez pas les outils.

S'il manque une pelle ou une pioche, l'un de vous trois creusera avec ses dents. Exécution !

Montrant l'exemple, il s'engagea le premier dans la rivière. Très vite, il eut de l'eau jusqu'à la taille. Il glissa, faillit être emporté par le courant, se rattrapa *in extremis* à un rocher et se remit à progresser vers l'autre rive. Le niveau de la rivière, ses remous, la force de son courant, il s'en moquait. Il y avait le trésor de Red Peter Cockram quelque part de l'autre côté. Rien ne l'arrêterait.

Il parvint sans encombre sur la grève de gravier noir. Il retira ses bottes et, tout en les vidant de l'eau dont elles étaient pleines, il ordonna :

— Traversez !

Une fois encore, les entrailles du volcan grondèrent. Une fois encore, le sol trembla. Des fumées de plus en plus denses, fréquentes et rouges montaient du cratère. La mine sombre, les trois pirates s'engagèrent dans la rivière, outils et fusils sur le dos. À cause de sa petite taille, Gwyllin avait de l'eau jusqu'aux épaules. Mais il était trapu et vigoureux, et ce fut lui qui parvint le premier sur l'autre rive. Il aida West et Taylor à le rejoindre au sec.

— À vous ! cria Dalglish par-dessus le fracas du torrent.

Barry ne se sentait pas la moindre envie d'aller défier le courant. Il était si mince et si léger qu'il s'imaginait déjà emporté comme un fétu de paille. Sans compter qu'il ne savait pas nager… Mais sa résolution de bouder l'empêchait de se plaindre ou de protester. Il fut bien obligé d'obéir lorsque, le poussant d'une bourrade dans le dos, Lou lui intima l'ordre d'entrer dans la rivière.

L'épreuve se révéla bien pire que tout ce qu'il avait imaginé. D'abord, l'eau était glacée. Ensuite, elle cherchait à l'entraîner avec la force d'un bœuf. Enfin, le fond de la rivière était plus glissant que le pavé de Londres un jour de verglas. Quoique parcourant plus de distance dans le sens du courant que vers l'autre rive, il parvint néanmoins à atteindre le milieu du gué. Et c'est quand il se dit que le plus dur était fait, que ce qui devait arriver arriva.

Son pied dérapa sur une roche arrondie, il perdit l'équilibre. Saisi par l'eau glacée qui lui entrait par la bouche et par les narines, il eut la certitude que c'était fini. Qu'il allait terminer sa prometteuse carrière de pickpocket londonien noyé dans une rivière de l'autre bout du monde.

On l'agrippa par la main.

Il réussit à sortir la tête de l'eau, inspira dans un râle strident tout l'air qui manquait à ses poumons et, dans le brouillard humide qui lui troublait la vue, reconnut le visage de Lou penché dans sa direction.

— Ne me lâche pas ! Tiens-moi ! bredouilla-t-il.

Elle se pencha encore davantage, le regardant se débattre dans les remous, les doigts serrés sur son poignet, et lui cria :

— Alors, ça ne te dérange plus que je te tienne la main ?

— Lou, je t'en pr… !

La dernière syllabe fut avalée en même temps que l'eau qui lui entrait dans la bouche.

— Imbécile ! lui dit-elle, puis elle le tira jusqu'à elle.


— Voyons… « *À partir du troisième arbre au nord…* »

Ils se tenaient sous l'ombre des cocotiers. Gwyllin, Taylor et West avaient posé leurs outils à terre et attendaient. Barry essorait sa chemise. Quant à Dalglish, ses yeux noirs ne quittaient pas Lou et n'avaient jamais paru si attentifs.

— Où est le nord ? lui demanda-t-elle.

Il sortit une boussole de sa poche, et le lui montra. Elle compta les cocotiers, fit quelques pas et posa la main sur l'un d'entre eux.

— Celui-ci. Maintenant, « *douze pas vers l'aube* ».

Dalglish lui mit la boussole sous les yeux. Elle attendit que l'aiguille aimantée se stabilise. Quand elle fut sûre de la direction, elle se tourna vers l'est et, à pas d'arpenteur, avança de douze pas. Elle devait garder à l'esprit qu'il s'agissait des douze pas de Red Peter Cockram, un homme de haute taille mais avec une jambe de bois.

— Un… Deux… Trois… Quatre…

À quoi pouvaient bien ressembler les pas d'un

homme de haute taille avec une jambe de bois ? Déroutante énigme… Elle décida que ces pas seraient les siens, un point c'est tout.

— … Dix… Onze… Douze !

Voilà, douze pas vers l'aube. Elle planta un bâton dans le sol, afin de marquer ce deuxième repère. À présent, « *deux pas vers le crâne* ». Elle inspecta les environs. Le crâne, le crâne, le crâne… Rien alentour n'avait la forme, même approximative, d'un crâne. En désespoir de cause, elle s'adressa à ses compagnons :

— Est-ce que l'un de vous aperçoit ici quelque chose qui ressemble ou fasse penser à un crâne ?

— Un crâne de quoi ? demanda Taylor. Un crâne de vache ? Un crâne de mouton ? Un crâne humain ?

— T'as vu des vaches et des moutons dans l'coin ? lui fit remarquer Gwyllin. Pourquoi pas un crâne de taupe, pendant qu't'y es ?

— Hé, c'est qu'des crânes, y en a autant que de créatures du Seigneur…

— Regarde, là-bas, ce rocher ! cria Barry qui avait remis sa chemise.

Elle tourna les yeux vers ce qu'il désignait. Un rocher. Un rocher gris sombre comme les autres.

— Déplace-toi, lui dit Barry. Sur ta gauche. Tu vas voir.

Elle fit ce qu'il lui demandait – et l'évidence lui apparut. Dans cet axe de vision, le rocher prenait la forme d'un monstrueux crâne d'homme.

— Bravo.

Elle reprit place à côté du bâton qu'elle avait planté pour repère et compta deux pas vers le « crâne ».

— Et maintenant ? l'interrogea Dalglish qui l'avait rejointe.

— « *Trois pas vers l'oiseau rouge* ».

— Un oiseau rouge…

Ils examinèrent chacun des rochers avoisinants, par acquit de conscience. Bien entendu, un rocher semblable à un oiseau, rouge de surcroît, ils n'avaient guère la chance d'en découvrir. Une plante, peut-être, une fleur ? Mais à cet endroit, proche du volcan, le sol était si pelé que même les mauvaises herbes n'y poussaient pas. Quant aux oiseaux, aux vrais oiseaux, il n'y fallait pas songer : comment, à moins de l'empailler, un volatile pourrait-il servir de repère ?

Le sol trembla alors une nouvelle fois. Une véritable secousse sismique qui déséquilibra Lou. Gwyllin s'écria d'une voix effrayée :

— Cap'taine, si on reste là, on va finir en enfer !

— L'enfer, tu vas y aller tout de suite si tu ne la fermes pas ! répliqua Dalglish.

Le volcan crachait des fumées de plus en plus drues. La terre trembla encore. Lou s'accroupit, posa une main par terre. Tout à coup, elle comprit.

— L'oiseau ! C'est ça ! L'oiseau rouge !

Elle pointait le doigt sur le volcan. Dalglish haussa les épaules.

— De quoi parles-tu ?

Il n'avait pas fini sa phrase que, du cratère noir,

surgit une giclée de lave. Elle s'éleva puis, parvenue au point le plus haut de sa course, elle retomba, lente, presque majestueuse, comme deux ailes immenses qui se déploient. Deux ailes immenses et *rouges* qui finirent par s'abattre sur les flancs du volcan en une pluie incandescente. Oiseau de feu, oiseau de mort.

Lou bondit de trois pas en direction de la Colline Noire. Elle leva un bras en signe de triomphe.

— Là ! C'est là qu'il faut creuser !

Dalglish ne perdit pas un instant. Il s'empara d'une pioche et, bousculant Lou, donna le premier coup dans le sol.

— Gwyllin ! Les autres ! Venez m'aider !

Après une hésitation, ils vinrent lui prêter main-forte. Leur terreur du volcan cédait devant l'appât du trésor. Ils se mirent à creuser avec une énergie farouche, ne relevant brièvement le front que lorsque la terre grondait, à intervalles irréguliers mais de plus en plus rapprochés. Une puissante odeur de soufre empuantissait l'air tropical. Le ciel et les nuages se voilaient de jaune sale. Barry s'était placé à côté de Lou et tantôt levait un regard inquiet vers la Colline Noire, tantôt contemplait avec une impatience fébrile le travail de Dalglish et de ses hommes.

La tranchée s'élargissait rapidement. Ils creusaient sans épargner leurs forces, animés à la fois par le désir de trouver le trésor et celui d'en terminer au plus vite et de fuir. À quatre pieds de profondeur, le fer de l'une des pioches cogna contre du métal.

— On y est, cap'taine !

En quelques fébriles coups de pelle, ils dégagèrent ce qui se révéla, sans le moindre doute, le couvercle d'un coffre – puis d'un autre – puis d'un autre. Ils en mirent quatre au jour. Ainsi qu'une grande caisse de plomb.

Lou sauta dans la fosse et posa la main sur cette caisse.

— Le *Cheval des Tempêtes*, murmura t elle.

# 25.
# OÙ L'ON VA DE
# TRAHISON EN SURPRISE

Dalglish s'agenouilla près de l'un des quatre coffres de bois. Ils étaient d'une assez petite taille, qui déçut Lou : elle avait imaginé des coffres énormes comme des malles. Dalglish tira un poignard de sa ceinture, en glissa la lame dans la serrure du couvercle qu'il força. Tous se taisaient, les yeux rivés sur le petit coffre de bois.

Quand il s'ouvrit, ils poussèrent ensemble le même murmure. Jamais les pirates, de toute leur carrière, ni encore moins Barry, de toute la sienne, n'avaient eu sous les yeux une telle splendeur : des doublons par centaines, une masse d'or étincelant dans la lumière à en donner l'envie d'y plonger les mains avec avidité.

Dalglish prit quelques pièces, les fit couler entre ses doigts. Elles tintaient avec une musique qui leur parut céleste. Mais, lorsque Barry tendit la main à son tour, Dalglish referma sèchement le couvercle du coffre.

— C'est bon, dit-il. Nous savons que nous ne sommes pas venus ici pour rien. À présent, il s'agit de transporter tout ça jusqu'au *Black Hawk*. Et sans tarder.

Comme pour confirmer que le temps pressait, le sol fut alors secoué d'un terrible tremblement. Les bords de la tranchée s'effritèrent, de la terre se déversa dans le fond.

— Vite, dit Dalglish à Gwyllin. Passe-moi le cordage.

Avec l'aide du Gallois, il ficela habilement la caisse de plomb afin que deux hommes puissent la porter en passant la corde sur leurs épaules. Le tour fut joué en quelques minutes et ce furent West et Taylor qu'il chargea du transport : ils grimacèrent en ployant sous le poids de la caisse de plomb – et de la statue d'or et de diamants qu'elle renfermait mais dont ils ignoraient l'existence. Ils prirent aussitôt le chemin du retour, les quatre autres se chargeant chacun de l'un des petits coffres de bois. Derrière eux, le volcan commençait à cracher le feu, projetant dans l'air des pierres incandescentes, ébranlant le sol comme sous les coups d'un gigantesque canon.

Il n'était pas question de franchir à nouveau la rivière que Taylor et West n'auraient pu traverser avec leur charge. Dalglish décida qu'ils se dirigeraient plein nord. Cela présentait l'avantage de les mettre à plus courte distance de la mer, où il espérait être à l'abri de la lave dont les premières coulées se déversaient sur les pentes de la Colline Noire.

— Du feu ! Du feu coule du volcan ! hurlait Barry.

En effet, c'était du feu, mais un feu épais et liquide, qui s'écoulait vers la rivière telle une autre rivière, brasillante, infernale et mortelle.

— Plus vite ! cria Dalglish.

Ils n'avaient nul besoin qu'on leur ordonne de hâter le pas. Ils n'auraient jamais imaginé qu'une matière aussi dense que la lave en fusion puisse avancer à une telle vitesse. L'air devenait presque irrespirable, chargé de cendre et de poussière. Ils auraient volontiers couru, mais ils devaient régler leur allure sur celle de West et de Taylor. Les deux pirates s'épuisaient rapidement, la chair déjà à vif sous le frottement de la corde tendue par le poids de la caisse de plomb.

Quand Taylor s'effondra, Dalglish se précipita. Sans s'occuper de l'homme, il lui arracha la corde des épaules, la passa sur les siennes et, un petit coffre de bois sous le bras gauche, il ordonna à West de se remettre en marche.

— Mais… Et Taylor ?

— Qu'il se relève s'il en a la force ! Allez, avance !

Le fleuve de lave, au bas du versant, s'était divisé en deux langues de feu. L'une atteignit très vite la rivière. La rencontre de la lave et de l'eau dégagea une épaisse fumée âcre. L'autre prit le plus court chemin vers la mer. Le même que celui sur lequel fuyait le groupe. Comme à sa poursuite.

Mais Lou, après avoir couru en compagnie des autres, s'arrêta. Elle ne pouvait laisser Taylor en arrière. Peu importait qu'il soit un pirate, un repris de justice, peut-être un assassin. C'était un homme, et elle ne pouvait se résoudre à l'abandonner à un sort atroce. Elle se retourna vers lui. Il s'était péniblement redressé et remis en marche. Il titubait. Le flot de lave n'était plus qu'à quelques yards derrière.

Elle s'apprêtait à courir tout de même à son secours quand Barry vint la saisir par le bras.

— Qu'est-ce que tu fais ? Tu es fou ? Viens !

Elle ne résista qu'un instant. Il avait raison. Elle ne pouvait plus rien faire pour Taylor. La mort dans l'âme, elle suivit Barry dans sa fuite. Alors qu'ils rattrapaient West et Dalglish qui peinaient à transporter la caisse de plomb, elle entendit un cri interminable, épouvantable. Elle ne se retourna pas. C'était fini.

Ils arrivèrent enfin à la lisière de la forêt. Dalglish déposa la caisse, le temps de reprendre son souffle et de remplacer West par Gwyllin. Il donna un coutelas à Barry, avec ordre de leur ouvrir le chemin dans la végétation.

Ils progressèrent aussi vite que le leur permettaient le poids de la caisse de plomb, l'étroit passage entre les arbres, les lianes et les fougères arborescentes, et la fatigue. Il faisait une chaleur atroce – la température de l'enfer, se disaient-ils. Ils dégouttaient de sueur.

Lou marchait derrière Dalglish. Elle ne quittait pas des yeux sa haute stature. Maintenant qu'elle l'avait vu abandonner sans un regard, sans un remords, l'un de ses hommes voué à une mort horrible, elle ne nourrissait plus aucun doute : son vernis de gentleman avait définitivement craqué, elle avait affaire à un fauve sans scrupules, prêt à sacrifier n'importe qui à ses propres intérêts. Le capitaine Finch, Lemuel Frowd, Skyrm, Taylor… À qui le prochain tour ?

La question ne souffrait qu'une seule réponse : elle, Lou, serait sa victime suivante. Elle lui était devenue inutile. Pis : il l'estimerait désormais encombrante.

Elle toucha la crosse du pistolet passé dans sa ceinture. Qu'il ose tenter quoi que ce soit contre elle ! Il mourrait le premier.

Lorsqu'ils sortirent enfin de la forêt et arrivèrent sur une petite plage de la côte nord de l'île, la première chose qui la frappa fut la couleur du ciel. Le jaune et le gris noir s'y mélangeaient, occultant la lumière du soleil. Il était environ quatre heures de l'après-midi, et pourtant il faisait aussi sombre que si la nuit tombait. Au loin, à un demi-mille du rivage, déchiré d'inquiétants éclairs sulfurés, l'étrange brouillard qu'ils avaient traversé pour atteindre l'île semblait s'être encore épaissi.

Dalglish fit un signe à Gwyllin et ils déposèrent leur charge sur le sable. Il évalua la situation d'un rapide regard. La forêt commençait à être ravagée par un incendie qui dessinait une sorte d'anneau flamboyant autour du volcan. Des nuées d'oiseaux, chassées des arbres, tournoyaient dans le ciel. Mais la coulée de lave ne les poursuivait plus. Son cours s'était dévié vers le nord-nord-ouest. Dans l'immédiat, ils ne risquaient plus rien.

Il décida qu'ils laisseraient les coffres sur place et marcheraient le long de la côte jusqu'à l'endroit où ils avaient échoué leur chaloupe. Ils reviendraient à son bord récupérer leur précieux butin.

Il leur fallut moins d'une heure pour retrouver l'embarcation sur la plage de sable noir, où les attendaient également une douzaine de pirates inquiets. Ils en étaient à croire que Dalglish et son groupe n'avaient pas survécu à l'éruption du volcan et ils s'apprêtaient à rejoindre le *Black Hawk* pour appareiller loin de cette île. Dalglish les fit taire avec autorité, en désigna quatre et renvoya les autres, ainsi que West et Gwyllin, sur la goélette.

— Soyez prêts à faire route dès que je serai de retour !

Tandis qu'ils remettaient leur chaloupe à la mer, il fit embarquer sur la sienne Lou, Barry et les quatre matelots qu'il avait choisis pour leur vigueur, monta à son tour à bord et leur désigna le nord.

— Souquez ferme !


Lorsqu'ils accostèrent sur la petite plage où les attendait le trésor, la nuit était tombée. Mais l'incendie de la forêt jetait une clarté dramatique aux alentours. De nombreux oiseaux s'étaient posés sur la plage, à bout de souffle, désorientés. Ils s'enfuirent dans un grand claquement d'ailes quand les pirates sautèrent dans le sable.

Dalglish fit transporter les quatre coffres et la caisse de plomb dans la chaloupe. Puis il ordonna à ses hommes de se remettre aux avirons.

— Il est temps de reprendre le large ! s'exclama-t-il.

Et, à Lou et Barry qui s'approchaient de l'embarcation, il dit simplement :

— Pas vous.

Il fit deux pas de côté pour se placer entre eux et la chaloupe. Il leur adressa un grand sourire, courbe comme un sabre, et les toisa d'un air faussement paternel.

— Où comptez-vous aller ? Cette île ne vous paraît-elle pas un charmant séjour ?

Lou recula vivement et dégaina son pistolet.

— Holà ! s'écria joyeusement Dalglish. J'aime comme tu prends vite la mouche, Lou ! Tu oserais me tirer dessus ?

— Sans hésitation. Nous avons passé un marché, vous et moi.

— Ah, oui ! fit-il comme s'il se remémorait une vieille plaisanterie. Une histoire de partage, n'est-ce pas ?

— Exactement.

— Alors, laisse-moi t'apprendre quelque chose : on ne négocie que lorsqu'on est en position de force.

Lou leva le canon du pistolet, visant Dalglish au front.

— Je suis en position de force. J'appuie sur la détente, et vous êtes mort.

Il hocha dubitativement la tête.

— Peut-être... Ou peut-être pas... Qui sait ?

Brusquement, il s'avança à sa rencontre. Elle fut obligée de reculer, l'arme braquée.

— Plus un pas, Dalglish ! Ou vous me contraindrez à...

— À quoi ? À me tuer ? À prendre ma place ? Tu t'imagines commander le *Black Hawk*, te faire obéir par une bande de flibustiers et partir couler des jours heureux avec le trésor ? Quelle farce, Lou !

— Encore un pas, et je tire !

Il lui cligna de l'œil.

— Chiche.

Il se remit à avancer, narquois.

— Je vous aurai prévenu !

Elle abaissa le canon de son arme et visa Dalglish aux jambes. Elle appuya sur la détente.

Un claquement. Sec. Celui du percuteur sur l'amorce. Il y eut une brève étincelle. Aucune détonation.

Le pistolet n'était pas chargé.

— Barry ! À toi ! s'écria-t-elle.

Le jeune homme sortit maladroitement son propre pistolet de sa ceinture. Dalglish était si près de lui qu'il aurait eu tout le temps de le désarmer d'un simple revers de main. Il n'en fit rien. Il attendit que Barry ait enfin braqué l'arme sur lui. Alors, d'un geste vif comme le coup de patte d'un chat, il le lui arracha du poing.

— Guère plus à l'aise avec une arme que dans la mâture, mon cher Barry…

Avec une audace imprévue, celui-ci se précipita sur Dalglish. D'une seule gifle, le lieutenant le jeta à terre.

— Beau sursaut de courage, apprécia-t-il. Beau, mais vain.

Il tourna ses yeux noirs vers Lou. Elle y vit danser les reflets de l'incendie. Il lui offrit son sourire le plus charmeur et releva le percuteur du pistolet. Il la visa au front.

— Une dernière volonté avant de mourir ? lui demanda-t-il. Une prière ? Ou bien… une confession ?

Il s'approcha d'elle. Il posa l'extrémité du canon entre les yeux de Lou.

— Ne veux-tu pas te confesser avant de rejoindre Red Peter et Skyrm dans l'autre monde ? N'as-tu pas quelque chose à avouer à notre cher Barry ?

— Je vous méprise, Dalglish.

— Allons, faisons un autre marché ! Je t'épargne si tu avoues à Barry le gros, gros secret que je suis le seul à partager avec toi…

— Taisez-vous !

— Voyons, cela t'est si difficile ? Pauvre, pauvre Barry, qui mourra idiot…

— Fermez-la et tuez-moi, Dalglish !

Il soupira.

— Finalement, je me suis trompé. Tu as davantage de courage que d'intelligence.

Elle ferma les yeux, refusant de montrer sa peur. Il appuya sur la détente.

— Clic ! fit-il, et il éclata de rire.

Il avait tiré, et elle n'était pas morte. Elle rouvrit les paupières. Bien sûr, le pistolet de Barry n'était pas chargé non plus… Elle se sentit jouée, flouée, humiliée.

Il laissa tomber l'arme dans le sable.

— J'ai été enchanté de faire ta connaissance, lui dit-il. Dans d'autres circonstances, je suis certain que nous nous serions bien entendus. Adieu.

— Emmenez au moins Barry. À quoi sa mort vous avancerait-elle ?

— Et m'encombrer de lui, cela m'avancera à quoi ? D'ailleurs, Lou, tu tiens trop à lui. Je te le laisse.

Il fit mine de leur tourner le dos, se ravisa.

— Cependant, je crois qu'il faut que je te rende un dernier service avant de partir. Je ne sais combien de temps vous survivrez dans cette île, tous les deux – bien peu, j'en ai peur –, mais ce serait dommage que vous le passiez dans une situation fausse.

Il attrapa Lou par l'échancrure de sa chemise.

— Barry a droit à la vérité.

De deux coups secs, il déchira et la chemise et la bande d'étoffe qu'elle enroulait chaque jour sur son torse. Elle poussa un cri d'indignation et croisa vivement les bras sur sa poitrine pour dissimuler ses seins.

— Surpris, n'est-ce pas, mon cher Barry ? lui dit-il. Médite ceci : tu as été aussi aveugle que tu as été aimé.

Le grondement sourd du volcan les rappela à la réalité présente. Dalglish se toucha le front en un salut désinvolte.

— Essayez d'en profiter avant de disparaître avec cette île. Cette fois, je vous dis adieu pour de bon.

Lou et Barry regardèrent sa haute silhouette s'éloigner jusqu'aux vagues mourantes du rivage. Il se hissa à bord de la chaloupe. Il donna l'ordre de souquer. Il ne se retourna pas.

# 26.
# OÙ BARRY
# SE TRANSFORME

La mer avait une couleur de plomb. La chaloupe semblait emporter des fantômes jusqu'au cœur des ténèbres.

Lou tâchait de rajuster tant bien que mal sa chemise déchirée. Elle sentit la main de Barry lui effleurer la nuque.

— Pourquoi ne m'as-tu rien dit ? Il y a si longtemps qu'on se connaît…

Elle s'écarta et répliqua, furieuse :

— Et toi ? Pourquoi n'as-tu jamais rien compris ?

— Comment voulais-tu… ?

— Imbécile, imbécile, imbécile !

Mais insulter Barry n'était qu'un prétexte à se purger de sa colère et de sa frustration. C'était à elle-même qu'elle en voulait, c'était elle l'imbécile que Dalglish avait grugée sans difficulté, c'était elle qui n'avait pas vérifié la charge des pistolets, si maligne qu'elle se croyait de les lui avoir soutirés. Et, non content de l'avoir trompée, Dalglish s'était permis cette ultime humiliation de lui dénuder la poitrine devant Barry, de révéler son secret le plus intime – si dérangeant, si malaisé que, peut-être, au fond de son cœur, elle-même ne désirait pas qu'il soit divulgué. Pas de la sorte, en tout cas… Pas par cet homme, sur lequel elle crachait son mépris sans pouvoir cependant s'empêcher de continuer à admirer sa force de volonté, sa bravoure et sa beauté…

Elle se laissa tomber assise dans le sable, accablée par le découragement. Il n'y avait plus rien à faire ni à tenter. Elle était prisonnière sur cette île dont l'enfer avait pris possession. Elle ne songeait même plus au trésor. Sa recherche n'avait été qu'une façon, peut-être, de se trouver elle-même. Beau résultat…

Barry s'assit non loin d'elle, avec juste la distance qu'il fallait. Ni trop proche ni trop à l'écart. Il ne savait que penser. Trop d'événements avaient eu lieu. Le trésor, le volcan, la traîtrise de Dalglish, leur abandon sur l'île… et l'image fugitive des seins de Lou. Il eut envie de lui dire : « Peu importe ce qui nous arrive. Nous sommes ensemble. Je suis avec toi. C'est tout ce qui compte. » Ces mots lui parurent stupides, niais, inutiles. Il préféra se taire. Il se rappelait l'attirance immédiate qu'il avait éprouvée pour Lou, dès qu'il l'avait rencontrée. Il avait pris cela pour de la sympathie. Il se rappelait comme il aimait sa compagnie quand ils vivaient dans son « palais » de Londres, comme il s'inquiétait au moindre retard. Il avait pris cela pour de la camaraderie. Il se rappelait enfin son trouble lorsqu'il lui touchait le bras, la main, l'épaule, un trouble qu'il ne voulait pas reconnaître. Il avait pris cela pour un désir interdit. Un désir dont il se défendait, car il refusait d'imaginer qu'il puisse aimer un garçon de cette façon.

— Je comprends, maintenant, dit-il doucement.

— Quoi ? grogna-t-elle. Qu'est-ce que tu comprends ?

— Pourquoi tu t'es fâchée contre moi ce matin. Dans le brouillard, quand tu m'as pris la main, ce que tu as voulu me dire, c'était ça, n'est-ce pas ?

Elle haussa les épaules.

— Qu'est-ce que ça peut bien faire à présent ? Grâce à ce... Dalglish, tu es au courant désormais.

Elle se retourna vers lui avec violence. Il s'aperçut qu'elle avait les larmes aux yeux.

— Voilà ! Depuis qu'on se connaît, je t'ai toujours menti !

— Lou...

Elle éclata en sanglots. Il se rapprocha d'elle et, maladroit, il la prit dans ses bras. Il ne trouvait rien d'autre à lui dire que : « Lou... Lou... Lou... », mais il comprit comme c'était bon, et doux, de la tenir en pleurs contre lui, de pouvoir enfin se permettre ce dont il rêvait depuis un an sans oser se l'avouer. Et, en même temps, il comprit comme c'était absurde, injuste, que cela leur arrive si tard, abandonnés sur cette île, dans cette situation sans issue.

— Pardonne-moi, murmura-t-elle en s'écartant doucement et en essuyant ses larmes. Je suis idiote…

— Mais non, dit-il. Je suis comme toi.

— C'est-à-dire ? renifla-t-elle.

— Amoureux. Amoureux de toi.

— Oh ! … Barry…

Leurs visages se rapprochèrent. Leurs lèvres, timidement, se frôlèrent. Mais il était dit que le destin avait plus d'un tour dans son sac pour les empêcher de s'embrasser encore. Tel le départ d'un feu d'artifices, deux salves de détonations retentirent, se répercutant en échos jusqu'à eux.

Ils sursautèrent, leurs lèvres se séparèrent, ils se tournèrent ensemble, tendus comme des haubans, vers la mer. Ils entendirent d'autres détonations et virent, là-bas, à bord du *Black Hawk*, brûler les flammes brèves de coups de feu, briller les étincelles des amorces de pistolets et de fusils. Lou bondit sur ses pieds.

— On se bat sur le navire !

Une nouvelle salve lui répondit. Le son des détonations parvenait sur la plage avec un temps de retard sur la lueur des étincelles, comme les coups de tonnerre d'un orage lointain ne grondent qu'après qu'on en a vu la foudre.

— Regarde ! cria Barry. La forêt est en feu !

Derrière eux, l'incendie claquait, craquait parmi les arbres. Ils s'embrasaient comme de la paille. Il s'en dégageait une chaleur de plus en plus intense.

— Qu'est-ce qu'on va faire ?

Barry était terrifié.

— Il faut plonger ! dit-elle. Il n'y a pas d'autre solution !

— Mais Lou ! Je ne sais pas nager !

Elle jeta de rapides coups d'œil autour d'elle. Les flammes étaient si proches qu'on y voyait comme en plein jour.

— Là ! Aide-moi !

Il la suivit en courant jusqu'à une grosse branche de bois flotté. Ils la soulevèrent et la portèrent dans la mer. À ce moment, une énorme boule de feu embrasa les derniers arbres au bord de la plage, projetant des flammèches jusque sur le sable.

— Plonge !

Que faire d'autre ? Il n'était plus temps d'hésiter. Barry plongea. Lou le suivit, l'agrippa par le col et l'aida à s'accrocher au bois flotté. Ils commencèrent à s'éloigner du rivage.

L'île n'était plus qu'un brasier. La chaleur était telle que le sable de la plage s'était mis à fondre et coulait, comme une pâte noirâtre, dans la mer.

— Aide-moi, Barry ! Bats des pieds !

Il obéit tant bien que mal. Régulièrement, une vague en se brisant le coiffait, lui emplissant les narines et la bouche d'un goût âcre. Londres… Londres, se prit-il à songer avec une soudaine nostalgie. Des rues, des pavés, des maisons, de la brique et de la pierre, du solide… Londres… Une vague s'engouffra dans sa bouche ouverte, il toussa, cracha, crut se noyer. Revoir la Tamise… Une eau civilisée.

Lou s'agrippa la première à l'échelle de corde déroulée sur le flanc bâbord du *Black Hawk*. Barry la rejoignit quelques secondes plus tard. Il repoussa du pied le bois flotté qui leur avait permis d'arriver jusque-là. Il ne fallait pas qu'en heurtant la coque il alerte quelqu'un sur le navire. Le combat semblait avoir cessé. Ils n'avaient plus entendu de détonations depuis un moment. Ensemble, accrochés à l'échelle de corde, ils jetèrent un regard vers l'île en feu.

— Et maintenant ? demanda Barry dans un murmure.

— Ah, tu m'agaces ! Prends une décision, pour une fois.

Il regarda l'échelle, la suivit des yeux jusqu'au bastingage. Tout était bizarrement silencieux sur le *Black Hawk*.

— Bon, dit-il. On n'a plus le choix, pas vrai ? Montons à bord.

Et, pour la première fois depuis qu'il connaissait Lou, il prit l'initiative. Ce fut lui qui grimpa en tête. Il avait peur, certes, de ce qu'il imaginait et de *ceux* qu'il pensait trouver sur le navire. Mais il n'aurait pour rien au monde laissé passer l'occasion qui lui était offerte de jouer ce tout nouveau rôle : « l'homme ». Il pensa confusément que c'était tout de même curieux, ce changement qui s'opérait en lui, alors que, après tout, seul Lou avait changé, ou plutôt le regard qu'il posait sur lui – non, sur *elle*.

Avec d'infinies précautions, il se hissa de façon que son front et ses yeux seuls dépassent le niveau du pont.

— Alors, lui chuchota Lou, suspendue au-dessous. Qu'est-ce que tu vois ?

Il avala sa salive, et finit par répondre à voix très basse :

— Tu ne me croiras pas.

— Mais si, s'énerva-t-elle. Pourquoi est-ce que je ne croirais pas à ce que tu vois ?

— Parce que je n'y crois pas moi-même…

# 27.
# OÙ L'ON VOIT L'IDOLE,
# ET CE QUI S'ENSUIT

Lou se hissa adroitement au côté de Barry. Et elle non plus n'en crut pas ses yeux.

Sur le pont du *Black Hawk* gisaient les corps d'une dizaine d'hommes. Bien que bref, le combat avait été mortel. Mais cela ne l'étonna pas outre mesure : le feu nourri de plusieurs salves fait forcément des victimes. Ce qui l'abasourdit, ce fut le spectacle qui se déroulait au pied du grand mât.

Dalglish s'y tenait accoudé dans une attitude d'une nonchalance provocante mais assez vaine. Car il n'avait pas dû se retrouver souvent en aussi mauvaise posture : quatre fusils étaient braqués sur lui. Quatre fusils tenus par Yeats, Bonnet, Peckover et Silberg, gabiers et canonniers de la *Princess*. À leurs pieds, deux des coffres du trésor avaient été renversés. De leurs couvercles béants avaient roulé sur le pont des dizaines de doublons d'or. Et, accroupi, y plongeant les mains, les brassant par poignées, goguenard et triomphant, Jonathan Skyrm le borgne exultait.

— Alors ? Que pensez-vous de ce coup de théâtre, monsieur Dalglish ?

Il appuyait d'un ton grinçant sur le « monsieur ».

— Suis-je forcé d'applaudir ? répondit le lieutenant, feignant un bâillement d'ennui. Disons seulement que je me demande ce que tu fais là et comment tu y es parvenu.

Skyrm se redressa d'un bond et vint se placer, narquois, sous le nez de Dalglish. Lou et Barry aperçurent alors la longue cicatrice qui balafrait sa joue, du côté de l'œil crevé.

— Votre rouquin de Gallois manie le sabre comme une fillette, Dalglish. C'est à peine s'il m'a entamé la pommette ! Quand j'ai piqué la tête dans la mer, j'étais juste un peu sonné. L'eau m'a réveillé, j'ai réussi à me raccrocher à un cordage qui pendait contre la coque, à même pas deux brasses de moi. J'sais pas si c'est le Bon Dieu et tous ses saints ou le Diable et tout son train, mais ils veillent sur le petit Skyrm !

— La Providence des crapules, jeta négligemment Dalglish.

— Si j'suis une crapule, avec vous ça fait deux ! Ah, ça joue le bel officier, ça vous écrase sous sa morgue, ça fait l'élégant en uniforme, seulement la cravate que j'vais vous passer au cou, elle sera pas en soie, milord, mais bien solide, en chanvre !

— Pourriez-vous éviter de me postillonner au visage, Skyrm ? C'est assez désagréable.

Le borgne rugit devant tant de tranquille arrogance. Il posa la pointe d'un couteau sous le menton de Dalglish, qui n'en parut pas plus ému.

— Vous parliez à l'instant de me pendre, fit-il. Voilà que vous voulez m'égorger. Ayez un peu de suite dans les idées.

— De la suite dans les idées ! ricana Skyrm. Vous inquiétez pas pour ça, j'en ai assez, et je l'ai prouvé… Je vous ai entendu, ce jour-là, beugler sur le pont : « Cap sur l'île du Crabe ! » J'étais là, suspendu contre la coque, et je me suis dit : « Jonathan Skyrm, tu vas lui faire voir qui tu es, à Milord Dalglish ! »

» Parce que, l'île du Crabe, moi j'savais où la trouver. J'étais avec Red Peter quand il l'a découverte. J'aurais dû me douter que c'était là qu'il choisirait de planquer le trésor. Toutes ces années à lui courir derrière, et pas une fois ça m'a traversé la cervelle…

— Il eût fallu que vous en eussiez.

Skyrm appuya sa lame sur la gorge de Dalglish. Quelques gouttes de sang perlèrent.

— Toi, en tout cas, t'en as pas eu beaucoup, d'la cervelle, mon bel officier. Une frégate comme la *Princess*, même avec pas grand-chose de voile, ça continue de bien naviguer, surtout quand c'est moi qui dirige la manœuvre. J'espérais pas rattraper ta goélette, non. Mais je me disais que j'avais une chance d'arriver dans l'île pendant que tu y serais encore, et là…

» Et puis, merveille ! J'sais pas où t'es allé musarder, mais ce qui est sûr, c'est que j'y suis arrivé avant toi. On est ici depuis quatre jours. On a abrité cette bonne vieille *Princess* de l'autre côté de l'île, je me doutais que tu mouillerais ici, dans la baie, que tu n'irais pas voir ce qui se passait au nord-est.

» Ensuite, j'avais plus qu'à patienter. Là où j'ai eu la trouille, c'est ce matin à l'aube, quand cette espèce de brouillard jaune s'est levé. Comme une sacré bon dieu de muraille autour de l'île. J'avais jamais vu ça de ma vie…

» À croire que c'était pour fêter ton arrivée. Je guettais, avec mon ami Yeats, dans le bois de mancenilliers, comme tous les jours. Et tout à coup qu'est-ce que je vois éventrer le brouillard ? Le *Black Hawk* ! Je t'avais attendu avec tellement d'impatience que je t'aurais accueilli avec des fleurs et des embrassades, mon beau milord ! Mais ça t'aurait pas fait tellement plaisir. Et puis ça aurait gâché ma surprise. Alors je t'ai laissé mettre à l'ancre, organiser ta petite expédition dans l'île, déterrer le trésor de tes propres mains d'aristo-crate, pendant que, moi et mon brave équipage, tous à la nage, on allait rendre une visite de politesse à ton navire… Les gars que tu avais postés de garde, on leur a découpé un deuxième sourire, là, juste en travers de la gorge.

En guise d'illustration, il traça de la pointe de son couteau une estafilade sous le menton de Dalglish.

— Après quoi, mon beau milord, il ne me restait plus qu'à attendre que tu m'apportes toi-même le trésor de Cockram.

Il désigna les coffres renversés d'un geste théâtral.

— Tu as rempli ta mission et je t'en remercie !

Avec un air d'ennui, Dalglish se frotta délicatement les ongles sur le revers de sa vareuse.

— Vous avez terminé votre oraison, monsieur Skyrm ? Vous m'en voyez soulagé. Ce goût des explications inutiles qu'ont les petites gens... Je ne comprendrai jamais. Enfin !

Il parvenait à donner du « vous » à Skyrm en y instillant davantage de dédain que s'il l'avait tutoyé. Il se conduisait comme s'il n'était pas sous la menace de quatre fusils mais traitait une affaire fastidieuse avec un domestique.

— Si nous faisions court, pour une fois ? « Haut et court », précisa-t-il avec un petit rire amusé. Vous paraissiez tantôt fort enclin à me pendre. Choisissons d'ores et déjà la vergue adéquate, voulez-vous ?

Skyrm était trop médusé par son comportement pour répliquer quoi que ce soit. Le nez en l'air, Dalglish s'était mis à évaluer, semblait-il, la hauteur et la solidité des espars.

— L'artimon... ? Non. Trop commun. Si vous me permettez d'émettre une préférence, je vous saurai gré de me pendre au grand mât. J'aimerais, même en mes derniers instants, même s'ils ne sont pas beaux à voir (gigoterai-je, croyez-vous, monsieur Skyrm ?), j'aimerais, dis-je, occuper une position centrale. Où ne va pas se loger la vanité, pensez-vous ? Vous n'avez pas tort. Je n'ai jamais su vivre que sous le feu des regards.

Posant une main protectrice sur l'épaule du maître d'équipage, il s'adressa aux quatre hommes dont les fusils, à mesure qu'il pérorait comme dans un salon un soir de bal, s'étaient peu à peu abaissés.

— Lequel d'entre vous, gentlemen, aura-t-il l'obligeance d'aller chercher la corde ? Qu'il la choisisse neuve et solide, je l'en prie.

Ils se regardèrent les uns les autres, décontenancés. Enfin, Peckover leva timidement la main.

— Je vais m'en occuper, si vous voulez bien, sir.

— Excellente initiative, Peckover. Allez-y, je vous attends. Je ne bouge pas d'ici, n'est-ce pas, monsieur Skyrm ?

Il sourit de son propre trait d'humour. Puis il se frotta pensivement la narine.

— Si j'osais, monsieur Skyrm, je vous ferais une requête. Ce que l'on nomme, je crois, la dernière volonté du condamné.

Il haussa des sourcils interrogateurs, dans l'attente d'une réaction de la part de Skyrm. Celui-ci coula un regard à sa droite, un autre à sa gauche, comme s'il craignait de voir surgir quelqu'un ou quelque chose dont la présence justifiât l'incroyable sang-froid du lieutenant, puis finit par demander, de mauvaise grâce :

— Dites toujours, que j'vous voie venir…

— Merci, monsieur Skyrm. Eh bien, voici : personne ici n'est mieux placé que vous pour savoir avec quel intérêt… passionné je suis parti en quête de ce trésor. Il faut croire que votre propre « passion » surpassait la mienne, puisque vous sortez vainqueur de notre petite compétition. Soyons beaux joueurs. Je m'incline devant votre succès et je vous en félicite. De votre côté, accordez-moi une faveur.

— Laquelle ? Pas de coup fourré, hein ?

— Voyons, monsieur Skyrm ! Je suis là, seul et désarmé, plus inoffensif que l'enfant qui vient de naître !

— Ça va, ça va ! J'vous écoute.

Le beau sourire charmeur qui fleurit alors sur le visage de Dalglish, Lou le connaissait par cœur. L'expérience lui avait appris à s'en défier comme de la peste. Elle chuchota à l'oreille de Barry :

— Tu vas voir : il mijote quelque chose…

— Il n'a aucune chance. Regarde là-haut.

Elle leva les yeux vers la dunette. Plusieurs autres matelots de la *Princess* attendaient dans l'obscurité, les armes à la main.

— N'empêche, fit-elle. Ce Dalglish est capable de tout.

— À t'entendre, on croirait que tu l'admires…

— Je ne le sous-estime pas.

Cependant, Dalglish, tout sourires, avait lui aussi jeté un regard autour de lui et estimé sans doute en un coup d'œil les forces et la position de l'adversaire.

— Mon cher Skyrm, déclara-t-il, si vous m'accordez cette faveur, je ne prétends pas que je prierai pour vous dans l'autre monde, mais enfin je vous promets que mon fantôme ne viendra pas troubler votre sommeil.

— J'crois pas aux fantômes.

— Homme raisonnable, je vous respecte. À présent, monsieur Skyrm, allons droit au but avant que notre ami Peckover ne revienne avec sa corde – ou plutôt la mienne. Cette faveur, la voici : j'aimerais, avant de me balancer par le cou dix pieds au-dessus de ce pont, que vous me permettiez de contempler le fleuron de votre butin d'aujourd'hui. En d'autres termes, mon cher Skyrm, laissez-moi voir un instant le *Cheval des Tempêtes* et vous ferez de moi un pendu sans regrets.

— C'est tout ?

Skyrm n'en revenait pas. Il s'était sans doute attendu à quelque demande extravagante qu'il se serait fait un plaisir de refuser.

— Croyez-moi, cela vous paraît peu de chose, mais pour moi ce serait une faveur immense. Par ailleurs, je crois que vous non plus n'avez jamais contemplé l'idole ? Voilà l'occasion de satisfaire votre curiosité comme la mienne.

Skyrm prit le temps de la réflexion. Il cherchait où nichait le piège, mais était bien en peine d'en imaginer le moindre.

Quant à Lou, elle souffla à l'oreille de Barry :

— Je crois que j'ai compris. À partir de maintenant, fais tout ce que je te dirai. D'accord ?

— D'accord, mais…

— Chut…

Peckover venait de reparaître, un rouleau de corde à la main. Il paraissait embarrassé d'avoir accompli sa mission. Il avait passé sa vie à respecter et à craindre les officiers, choisir la corde pour en pendre un l'avait mis mal à l'aise.

— Ce cher Peckover est de retour ! s'exclama Dalglish. Je crois qu'il est temps de passer aux choses sérieuses ! Monsieur Skyrm, votre délibération intime est-elle terminée ? Quel est le verdict de votre for intérieur ? M'accordez-vous la faveur que je vous réclame ?

Skyrm hocha lentement la tête, puis haussa les épaules, cracha par terre et grogna :

— J'vois pas c'qu'il y aurait de mal à vous laisser lorgner l'idole. Comme ça, ricana-t-il, vous saurez c'que vous avez perdu et votre châtiment n'en sera que plus douloureux !

— Votre cruauté me navre, monsieur Skyrm, mais j'apprécie que vous accédiez à ma requête.

Et, se conduisant comme s'il était son hôte, il amena le maître d'équipage jusqu'à la caisse de plomb qu'on avait déposée un peu plus loin, du côté de la dunette. D'un geste rond, il salua les marins qui s'y trouvaient et jeta un coup d'œil par-dessus son épaule pour voir si les quatre hommes aux fusils, Yeats, Bonnet, Silberg et Peckover les avaient bien suivis.

Deux grosses serrures fermaient le couvercle de la caisse.

— Comment allons-nous forcer cela ? demanda Dalglish.

— Facile, déclara Skyrm.

Il appela Yeats et Bonnet.

— Tirez dedans !

Yeats visa la serrure de gauche, Bonnet l'autre. Ils appuyèrent presque ensemble sur la détente. Les serrures sautèrent.

— Bien joué ! dit Dalglish. Approchez, approchez, gentlemen ! Ce que vos yeux vont voir, ils ne l'ont jamais vu !

Tel un bonimenteur à la foire, il les invitait à se rapprocher. Les marins de la dunette se penchèrent au-dessus de la rambarde ; les hommes aux fusils se serrèrent autour de la caisse. Dalglish se tourna vers Skyrm.

— Il vous revient l'honneur d'ouvrir ce couvercle.

— Des années que j'attends ça, des nuits et des nuits que j'en rêve…

Il frémissait d'une telle impatience, il brûlait d'un tel désir de voir cette idole pour laquelle il avait pourchassé Red Peter Cockram dans le monde entier, que Skyrm fit le geste absurde de relever sur son front le bandeau rouge qui protégeait son œil mort. Comme s'il pouvait ainsi mieux voir.

Il tendit la main vers la caisse de plomb. Il y posa les doigts. Autour de lui sur le pont, et au-dessus à la rambarde de la dunette, les hommes étaient silencieux, tendus dans l'attente de découvrir enfin la statue d'or et de diamants dont Skyrm leur avait parlé pour les convaincre de partir à la poursuite du *Black Hawk*. Les doigts du maître d'équipage se crispèrent sur le bord du couvercle. Lou, de sa cachette, le vit prendre une profonde inspiration.

— Il va ouvrir, dit-elle à Barry. Ferme les yeux.

— Pourquoi ? Je veux savoir ce qui se passe, moi !

— Obéis-moi !

Au même instant, elle vit Dalglish, que personne ne regardait plus sauf elle, reculer brusquement et s'écarter du groupe, tandis que Skyrm soulevait le couvercle d'un geste décidé. Aussitôt elle se baissa, plaqua son visage contre le bois de la coque et, pour plus de sûreté, ferma très fort les paupières.

Ce qui se passa ensuite, elle ne put que le reconstituer d'après ce qu'elle en entendit.

Il y eut d'abord une rumeur admirative, ponctuée d'exclamations. Puis retentit la voix de Skyrm :

— Ma fortune … !

Plus que la voix d'un homme, c'était le rugissement d'une bête. Lou, suspendue à l'échelle de corde, les paupières contractées, en eut le frisson. À l'aveuglette, elle chercha Barry, le prit par les épaules, le serra contre elle et lui murmura :

247

— Garde surtout les yeux bien fermés. Quoi qu'il se passe, ne regarde pas.

— J'ai compris.

Ensuite, sur le pont, une série de cris brefs, claquant comme une salve, répondit à Skyrm :

— Non !

— C'est ma fortune !

— Non !

— Elle est à moi !

— À moi !

— À moi !

— À moi !

Puis des bruits de pas précipités : les marins dégringolaient l'escalier de la dunette. La voix, haineuse, démente, de Skyrm retentit à nouveau :

— Le premier qui touche à l'idole est un homme mort !

— Elle est à moi !

— À moi !

— Ma fortune !

— Non ! À moi !

Les cris fusaient, des cris farouches, répugnants d'avidité, dans un vacarme de bousculade et de coups échangés. Skyrm hurla d'une voix stridente :

— Arrière, bande de minus !

Lou entendit alors une détonation. Qui tira le premier ? Impossible à déterminer. Mais ce fut le prélude à une fusillade générale, intense et brève.

Quand le dernier coup de feu eut claqué, on ne perçut plus, venant du pont, que des gémissements et des plaintes. Lou reconnut la voix mourante de Yeats :

— Ma fortune… Elle est à… moi…

À laquelle se mêla le cri rauque de Peckover :

— Non ! … À moi… à… moi…

Pendant un moment qui lui parut interminable, elle continua d'entendre des geignements, si bas qu'on n'en comprenait plus les mots, et les raclements, les frottements de corps mortellement blessés qui se traînaient sur le pont – vers, supposait-elle avec horreur, la caisse de plomb et l'idole qu'elle contenait, dans l'ultime et dérisoire espoir de s'en emparer.

Enfin, la dernière plainte se tut. Il s'ensuivit un silence qui rendit leur réalité au clapotis des vagues et au souffle lointain de l'incendie dans l'île.

— Qu'est-ce qu'on fait maintenant ? demanda Barry.

— Attends, dit-elle, tendant l'oreille.

Ils n'étaient pas tous morts. Elle distingua le bruit étouffé d'un glissement – comme d'un homme qui rampe avec peine, se dit-elle. Puis elle discerna une respiration, saccadée, difficile, suivie du soupir qu'on pousse dans un violent effort. Soudain elle sursauta en entendant un choc sourd.

— Qu'est-ce que c'était ?

— Sûrement le couvercle de la caisse de plomb, dit Barry. Quelqu'un l'a refermé.

— Tu crois ?

— J'en suis presque sûr.

— Dans ce cas… On peut regarder, maintenant.

Ils ouvrirent les paupières. Agrippés à l'échelle de corde, serrés l'un contre l'autre, ils se découvrirent comme si c'était la première fois. Lou ne put s'empêcher de piquer un baiser sur les lèvres si tentantes de Barry. Puis elle se hissa souplement jusqu'au bastingage. Il la rejoignit.

Les corps des marins étaient amassés autour de la caisse de plomb. On aurait dit que, même dans les derniers instants de l'agonie, ils s'étaient traînés jusqu'à l'idole, n'hésitant pas à ramper sur les cadavres de leurs camarades. Le vainqueur de cette course atroce et inutile était à demi effondré sur le couvercle. C'était Skyrm.

Lou et Barry s'approchèrent lentement. Le spectacle du massacre leur soulevait le cœur. Ils prirent grand soin d'éviter les flaques de sang. Ils enjambaient les morts avec précaution et un profond sentiment d'horreur. Tout cela, cette boucherie, pour la possession d'une idole… La légende du *Cheval des Tempêtes* disait vrai. Quiconque pose les yeux sur lui se transforme en un monstre cupide et meurtrier. La soif de l'or, les rêves de fortune sont capables de réveiller ce qu'il y a de pire en l'homme…

Skyrm respirait encore faiblement. Quand il sentit leur présence à son côté, il se recroquevilla sur la caisse, les mains crispées sur le couvercle de plomb.

— Fichez le camp… Elle est à moi… C'est… ma fortune ! …

Un rictus de haine lui tordait la bouche. Son œil jaune flamboyait, pareil à celui d'un tigre affamé. Il esquissa le geste d'empoigner le couteau passé dans sa ceinture. Mais, après un dernier éclair de folie, son œil s'éteignit. Ses lèvres se détendirent alors qu'elles balbutiaient en un soupir :

— Ma fortune…

Sa tête retomba. Sa carrière de crapule s'achevait là.

# 28.
# OÙ (PRESQUE) TOUT SE TERMINE ET OU TOUT COMMENCE

Une semaine plus tard, Lou et Barry accostaient à l'île de Saint-Domingue. Trois Noirs, esclaves sur une plantation de canne à sucre, découvrirent leur chaloupe empalée sur un rocher du rivage. Lou et Barry étaient inconscients. Leur peau brûlée par le soleil, leurs lèvres craquelées par la soif, leurs corps amaigris témoignaient du calvaire qu'ils avaient enduré durant leur traversée.

Les trois esclaves les portèrent chez leur maître, le baron Edme de Pont-Armand. Ils y furent soignés par sa fille Clarisse, qui avait leur âge. Dès qu'ils eurent prononcé leurs premiers mots, ils furent reconnus pour sujets britanniques. Après une semaine à les remettre sur pied et en dépit des prières de sa fille, qui s'était aussitôt attachée à eux – surtout à Barry, lequel lui plaisait fort –, Pont-Armand les livra au colonel Fulbert d'Escoffier.

Celui-ci, qui commandait la troupe affectée à la défense de la région, avait régulièrement maille à partir avec pirates, corsaires et flibustiers auxquels l'île de la Tortue, proche de la côte orientale de Saint-Domingue, servait de quartier général. Quinze jours plus tôt, un navire sous pavillon noir et à l'équipage anglais avait tenté un raid dans le port voisin. Le colonel et ses hommes l'avaient repoussé à coups de canon, non sans l'avoir gravement endommagé. Aussi avait-il toute raison de croire que, primo, le navire corsaire avait fini par sombrer au large et que, secundo et conséquemment, certains membres de son équipage s'étaient sauvés du naufrage en mettant des chaloupes à la mer.

C'est ce que, par l'intermédiaire d'un interprète qu'il nommait son « trucheman », il expliqua à Lou et à Barry quand il les fit comparaître devant lui. Il conclut :

— Tout me porte à penser que vous faisiez partie de cette bande de flibustiers anglais. J'attends vos aveux et le nom du brigand qui vous tenait lieu de capitaine.

Lou et Barry échangèrent un regard et il leur vint la même pensée : cet officier français à la perruque poudrée ne pouvait pas être plus loin de la vérité. Mais quelle sorte de vérité pouvaient-ils bien lui raconter ? Les événements qu'ils avaient vécus à partir de leur arrivée en vue de l'île du Crabe paraissaient si improbables qu'ils feraient figure de mensonges éhontés même s'ils ne lui en contaient que le quart.

D'autre part, reconnaître appartenir à un équipage de pirates anglais leur vaudrait certainement une condamnation exemplaire. Il ne fallait pas chercher une issue de ce côté-là. Quant à inventer de toutes pièces une histoire, il leur aurait fallu la préparer à l'avance pour ne pas se contredire l'un l'autre. Or ils n'y avaient pas pensé.

Impatienté, le colonel d'Escoffier adressa quelques mots à l'interprète qui les leur traduisit :

— Le colonel vous prévient que, aveux ou pas, vous serez pendus.

— Voilà bien la justice française ! rétorqua Lou dont le cœur était tout acquis à son roi et bien qu'elle ait eu à subir elle-même l'arbitraire du juge Arbuckle, magistrat de la Couronne d'Angleterre.

— Dites au colonel que nous lui demandons de nous accorder une heure, intervint alors Barry. Il doit comprendre que nous avons besoin de nous concerter avant de commettre une trahison aussi grave que de lui donner le nom de notre capitaine…

Il se pencha en avant et ajouta, sur le ton de la confidence :

— … et de lui révéler la date et le plan de la prochaine attaque.

Lorsqu'on lui eut traduit ces propos, le colonel d'Escoffier parut beaucoup s'en réjouir.

— Le colonel vous accorde une demi-heure, leur dit l'interprète. Et il vous avertit qu'il vaudra mieux pour vous ne pas le décevoir.

— Rassurez-le, répliqua Barry. Notre récit le passionnera.

Ils furent enfermés dans une étroite cellule. Dès que la porte se fut refermée, Lou s'exclama :

— Quelle idée as-tu en tête ? Nous ne connaissons pas le nom d'un seul pirate de la Tortue, et quant à inventer, ce maniéré de Français ne sera pas longtemps dupe.

— Dupe, il le sera comme nous l'avons tous été. Parce que nous n'allons rien inventer, Lou : nous allons lui raconter la vérité ! Nous allons le faire rêver du *Cheval des Tempêtes*… Seulement, il y a certains détails qu'il vaudra mieux passer sous silence. Tu devines lesquels…

— Où cela nous mènera-t-il ? Au mieux, il nous croira sur parole et il partira à la recherche du cheval d'or. Non sans nous avoir fait pendre d'abord.

— Que non ! Car il aura besoin de nous pour retrouver l'île du Crabe et ensuite l'endroit où se trouve maintenant l'idole.

—Ah, pitié, Barry ! gémit-elle. Nous n'allons pas recommencer cette aventure !

Il lui sourit d'un air espiègle.

— Tu oublies ce que je cache dans la doublure de ma veste…

— Tu… tu crois que… ?

Il baissa la voix.

— Exactement. Je crois que la partie vaut pour le tout, si tu comprends ce que je veux dire…

C'est ainsi qu'au bout d'une demi-heure Lou et Barry furent remis en présence du colonel Fulbert d'Escoffier et de son interprète.

— Pourriez-vous faire apporter à boire ? demanda Barry.

— Le colonel ne vous permettra de vous désaltérer que lorsque vous aurez avoué.

— Oh, ce n'est pas pour moi ! L'histoire que je vais vous narrer est si longue et si captivante que vous vous dessécherez la bouche à la restituer en français.

— Allez toujours, je verrai cela.

— À votre aise, M. le « trucheman ».

Ainsi qu'ils en étaient convenus, Barry se chargea du récit, que Lou précisait ou enjolivait d'une incidente çà et là. Le colonel d'Escoffier, qui au début écoutait avec un sourire suffisant et la paupière mi-close ce que lui rapportait l'interprète, changea bientôt d'attitude quand il fut question du *Cheval des Tempêtes* et de ses tribulations des Indes à l'île du Crabe. Penché sur son bureau, il suivait avec impatience les échanges entre Barry et celui qu'il nommait son « trucheman » et pressait celui-ci de traduire plus vite, plus vite, toujours plus vite. Barry sut profiter de cette hâte – « Qu'il aille à l'essentiel ! répétait d'Escoffier. Qu'est-il arrivé à cette idole païenne ? » – pour livrer un résumé qui passait sous silence ce qui, justement, constituait l'*essentiel* : la malédiction attachée au cheval d'or et les effets dont étaient victimes ceux qui posaient les yeux sur elle.

Quand il parvint à la fin de son récit, il jugea qu'il valait mieux l'abréger en un épisode que le Français croirait plus volontiers que s'il lui contait l'étrange vérité.

— Nous sommes revenus au navire en compagnie du lieutenant Dalglish. À peine avions-nous transbordé le trésor sur le pont du *Black Hawk*, qu'une douzaine d'hommes ont surgi de leurs cachettes et ont tiré. C'était le maître d'équipage Skyrm et les marins de la *Princess* qui, résolus à se venger et à s'emparer du trésor, nous avaient poursuivis à bord de la frégate. Le combat qui s'en est suivi a été terrible. Pirates et matelots de la Navy se sont entre-tués. Mr. Skyrm allait à son tour succomber sous le sabre de l'infâme Dalglish quand mon camarade Louis, ici présent, est venu à son aide. Grièvement blessé, Dalglish est tombé à la mer et n'a jamais reparu. Peu après, Mr. Skyrm expirait à son tour.

» Que pouvions-nous faire alors ? Nous n'étions plus que deux, livrés à nous-mêmes, incapables de manœuvrer la goélette. L'île était en feu, le volcan en éruption, la terre tremblait tant que l'océan bouillonnait comme de la soupe dans une marmite ! Nous avons sauté dans une chaloupe. Nous avons souqué à nous en arracher les épaules et les mains pour échapper à un sort funeste. À l'aube, l'île brûlait encore à l'horizon. Épuisés, nous avons hissé la petite voile de la chaloupe et nous avons confié nos vies à la divine Providence. C'est ainsi que, un matin de la semaine dernière, les vents, les courants et la main de Dieu nous ont échoués sur un rivage de Saint-Domingue…

— Donc, conclut fébrilement le colonel, le trésor est encore là-bas ?

Le « trucheman » traduisit en ajoutant, très intéressé lui-même par la réponse :

— Et vous êtes certains qu'il n'y avait plus personne sur la *Princess* ou sur le *Black Hawk* susceptible d'avoir emporté l'idole après votre départ ?

— Sûrs et certains !

L'interprète et le colonel se concertèrent un moment, puis arriva la question que Barry et Lou attendaient :

— Tout cela est un bien joli conte, dit le « trucheman », mais pouvez-vous apporter une preuve qu'il est vrai ?

Barry réprima un sourire.

— Je le peux. Si M. le colonel veut me permettre de retirer ma veste… ?

D'Escoffier le lui permit d'un geste impatient. Barry se leva, ôta sa vareuse, la plaça au-dessus de la table du colonel, en saisit la doublure par un coin et, d'un coup sec, la décousit. Un petit objet en tomba et roula jusque sur le sous-main de l'officier français. Un diamant jaune. Un fabuleux diamant scintillant de toute son eau dorée. Au même instant, Lou et Barry fermaient les paupières et articulaient en chœur :

— *Al letno medna itsirc, al letno medna itsirc, al letno medna itsirc* !

Quand ils rouvrirent les yeux, d'Escoffier et le « trucheman » s'étaient rués sur le diamant en rugissant :

— Il est à moi !

— Non ! À moi !

Les deux hommes échangèrent des horions, s'empoignèrent à la gorge, roulèrent en grognant sur le sol. Barry et Lou ne surent jamais qui sortit victorieux de cette lutte grotesque. Ils avaient enjambé la fenêtre et coururent à perdre haleine jusqu'à un champ de cannes à sucre où ils disparurent à la vue d'éventuels poursuivants. Barry, au passage, n'avait pas oublié de récupérer et sa veste et le diamant jaune.

Ils prirent des chemins de traverse qui les ramenèrent, à la nuit tombée, devant l'habitation des Pont-Armand. Il n'avait échappé ni à Barry ni à Lou le penchant que montrait la jeune Clarisse pour le jeune homme. Ils escaladèrent la façade jusqu'à sa chambre. Elle les accueillit avec un cri de surprise, puis un grand sourire joyeux pour répondre au clin d'œil de Barry.

Elle les cacha jusqu'au matin, trop excitée par l'événement pour s'endormir. Elle veilla avec attendrissement sur le sommeil de Barry, sans se douter que Lou, jalouse et agacée, surveillait chacun de ses gestes. Peu avant le lever du soleil, ils se faufilèrent tous trois hors de l'habitation endormie. Clarisse les amena à une anse où son père amarrait un voilier d'agrément. Elle leur dit adieu en versant une larme. Lou lui serra la main d'une poigne virile qui meurtrit ses jolis doigts blancs de poupée blonde. Alors que Barry posait déjà un pied dans le bateau, Clarisse se jeta contre lui et lui plaqua un gros baiser sur la bouche.

Quelques minutes plus tard, ils filaient sous une bonne brise vers le large. Là-bas, sur le rivage, Clarisse leur adressait d'interminables signes d'adieu.

— Ridicule petite poupée française, grommela Lou qui tenait la barre.

— Elle nous a aidés à fuir, tu n'as pas le droit de l'insulter.

— Comme tu la défends… Elle te plaît, hein ? Si tu veux, tu peux aller la retrouver. À la nage.

Il rit.

— Tu es jalouse !

— Tu parles ! Qu'est-ce qu'elle a de plus que moi, cette Clarisse, à part des bouclettes frisées au fer et des dentelles à sa robe ?

Barry la contempla sérieusement des pieds à la tête, puis éclata à nouveau de rire.

— Tu te paies ma tête ?

— Non ! Je t'imagine avec des bouclettes et des dentelles !

— Imbécile…

D'un bond, il la rejoignit à l'arrière du petit voilier. Il prit son menton boudeur entre le pouce et l'index.

— Et tu sais quoi ? dit-il. Je crois que ça t'irait cent fois mieux qu'à Mlle Clarisse de Pont-Armand…

Elle ne chercha pas à savoir si le compliment était sincère. Elle attrapa brutalement Barry par la nuque et ils échangèrent leur premier vrai baiser.

Ils naviguèrent toute la journée en se fiant à la boussole du voilier. Ils avaient choisi leur destination : l'île de la Tortue. Ils n'avaient pas eu besoin d'en discuter longtemps pour tomber d'accord. Il n'était pas question qu'ils rejoignent la Royal Navy. Ils seraient considérés comme des mutins, complices de Dalglish, et finiraient au bout d'une corde. Donc, quitte à être considérés comme des pirates, autant valait qu'ils se réfugient sur leur base : la Tortue. Ils comptaient bien s'y débrouiller pour trouver un embarquement qui les conduise jusqu'en Amérique. Un pays neuf, un continent aux trois quarts vierge, une révolution en cours, le contexte était favorable à s'y refaire une vie.

— Dans combien de temps crois-tu que nous arriverons à l'île de la Tortue ?

Barry avait pris son tour à la barre. La nuit était tombée. Le vent n'avait ni faibli ni forci de toute la journée. Il poussait amicalement leur esquif à bonne allure sur une mer calme.

— Demain dans la journée, j'espère.

— Que crois-tu que nous allons trouver là-bas ?

— Des crapules et des types bien, comme partout. Il s'agira simplement de ne pas se tromper sur les uns ni sur les autres. Je crois que je sais faire ça, maintenant. Pas toi ?

— Tu t'étais pourtant bien trompée sur Dalglish.

Elle contempla un instant les étoiles que gommait en passant l'ombre grise et rapide des nuages tropicaux.

— Dalglish est un homme qui tromperait n'importe qui, dit-elle enfin.

— En tout cas, il ne trompera plus personne. Il est mort.

— En es-tu si sûr ?

Il ne répondit pas. Non, à la réflexion, il n'en était pas sûr. De quoi pouvait-on être assuré avec un personnage comme Damon Dalglish ? Cette idée en amena soudain une autre, inquiétante comme une menace.

— Mais… s'il s'en est sorti, alors où pourra-t-il aller ? Sur l'île de la Tortue, comme nous, le seul endroit au monde où la justice anglaise ne le poursuivra pas !

— Peut-être, Barry. Ou peut-être pas… Après tout, personne en Angleterre ne sait ce qui s'est passé à bord de la *Princess*. Il a assez de talent pour inventer n'importe quelle histoire, la faire passer pour authentique et reprendre un commandement sur un navire de Sa Majesté.

— Sauf que…

— Quoi ?

— Il reste deux témoins : nous.

Sa main se crispa sur la barre.

— Il va nous rechercher ! Il va vouloir nous éliminer !

— Mais non, Barry, réfléchis une seconde : à qui pourrions-nous raconter notre histoire ? D'ailleurs, qui la prendrait au sérieux ?

Elle lui caressa furtivement la joue.

— Non, crois-moi. Il le sait. À mon avis, s'il est vivant, il n'aura désormais qu'une obsession.

— Récupérer le cheval d'or ?

— Exactement. Et grand bien lui fasse ! ajouta-t-elle en s'étirant. Nous, nous sommes partis pour de nouvelles aventures ! Loin, très loin, le plus loin possible de ce maudit *Cheval des Tempêtes* !

La lune s'était levée à l'horizon. Dorée comme une idole d'or, scintillante comme une parure de diamants jaunes.

## 29.
## OÙ L'ON APPREND
## CE QUI S'EST PASSÉ

Lorsque Skyrm expira sous leurs yeux, Lou et Barry réalisèrent bientôt qu'ils se retrouvaient dans une situation plus que difficile : extrême. Environnés de cadavres. Seuls sur un navire dont les manœuvres nécessitaient tout un équipage. Sans possibilité de se réfugier à terre – d'ailleurs, pouvait-on encore parler de « terre » quand on voyait le gigantesque incendie qui ravageait l'île entière ? Il ne leur restait qu'à mettre une chaloupe à la mer et à confier leur sort aux vents et au destin.

Emporter le trésor, ils n'y songeaient plus. Même les doublons espagnols jonchant le pont étaient souillés de sang. Après l'affreux massacre qu'avait entraîné le dévoilement de l'idole, la cupidité démente et meurtrière qu'elle avait suscitée, ils se seraient sentis moralement sales de toucher fût-ce une seule pièce d'or. Ils ne comptaient plus que sur leur amitié, leur tout jeune amour et leur désir de vivre.

Mais, alors qu'ils se penchaient par-dessus le bastingage à tribord et découvraient, soulagés, la chaloupe avec laquelle Dalglish et ses hommes étaient rentrés de l'île, la même pensée les figea sur place : le lieutenant ! Que lui était-il arrivé au cours de la tuerie ?

— Tu as vu le corps de Dalglish parmi les autres ? demanda Barry.

— Non.

Le spectacle des cadavres leur avait paru si insoutenable qu'ils en avaient détourné les yeux autant qu'il était possible. Cette fois, ils se retournèrent et promenèrent un regard anxieux sur le pont.

— Comme votre inquiétude me touche, leur dit alors la voix enjôleuse de Dalglish. J'ignorais que vous teniez tant à moi…

Il sortit lentement de l'ombre. Toujours pareil à lui-même, en apparence : bel homme et souriant, l'œil noir brillant et attentif. Il fit un geste désinvolte vers l'amas de cadavres.

— Il semble qu'il n'y ait plus un seul rat en vie sur ce navire… Faibles d'esprit comme de volonté, j'étais sûr qu'ils ne résisteraient pas à la vision du cheval d'or. Nous voilà seuls. Mes jeunes amis, comme je suis heureux de votre présence ! Vous me manquiez, figurez-vous. J'ai compris en vous voyant que j'avais besoin de vous.

Il accentua son sourire et précisa :

— Enfin, besoin de vos bras vigoureux. Nous avons là une cargaison que je compte apporter en lieu sûr. Je suis assez bon marin pour mener cette goélette où il me plaira, à condition d'avoir deux gabiers. Lou, Barry, vous êtes mon équipage !

— Vous n'emporterez pas l'idole ! s'écria Lou.

— Et pourquoi pas, ma chère ?

— Tous ces morts ne vous suffisent pas ? Vous n'avez pas encore compris ? Cette idole tue tous ceux qui la convoitent !

Il eut un rire de mépris tranquille.

— Pas tous, Lou. Regarde ! Je suis en vie ! Il est vrai que je l'ai à peine entraperçue, un quart de seconde. Un pur éblouissement, néanmoins. Un éblouissement dont je voudrais qu'il dure ma vie entière… Et tu vas m'aider à réaliser ce rêve, Lou. Je viens de comprendre que j'avais eu tort de te laisser derrière moi sur cette île. Mais la chance, tu vois, ne m'abandonne jamais, puisque tu es là.

Il commença d'avancer dans leur direction, lentement, pas à pas.

— Examinons ensemble ce qui s'est passé. À la vue du cheval d'or, ces imbéciles ont été pris de folie et se sont entre-tués. Comme Witherspoon avait assassiné ses hommes avant de mourir dévoré par sa propre rapacité, et comme Cockram a supprimé les siens. Pourtant

– n'es-tu pas la mieux placée pour le savoir ? –, dans cette longue chaîne de meurtres, un seul a réchappé à la vengeance – ou appelle cela comme tu veux – du *Cheval des Tempêtes* : Red Peter Cockram lui-même.

» Certes, il a fini par mourir à son tour, mais dans une sotte embuscade derrière une taverne. Quel était donc le secret de Cockram lui permettant – bien qu'il y ait tout de même perdu la jambe – de contenir la puissance maléfique de l'idole ? La force de sa volonté ? Non. Même moi, modèle de maîtrise de soi, je ne suis pas sûr, à présent, de lui résister bien longtemps.

» Le secret de Cockram, c'était *la formule* ! La formule propitiatoire que ce grand spécialiste des religions bizarres a prononcée dans une rue de Shrinagar avant de permettre au colonel Sharp de la voir. Sharp, rappelez-vous, a été victime d'un étrange étourdissement et d'un bref cauchemar, mais il n'a pas été pris de folie meurtrière. C'est qu'il était lui-même protégé suffisamment par la formule prononcée par Cockram !

Sa propre démonstration exaltait Dalglish au point de changer l'expression habituelle de son visage, d'ordinaire si facilement ironique. Il n'était plus vraiment lui-même, et Lou comprit que, malgré toute sa prétention à la maîtrise de ses instincts, il avait été contaminé par l'influence diabolique de l'idole.

Tout en parlant, il s'était avancé jusqu'à eux. Parvenu devant elle, il pencha la tête de côté et la dévisagea avec une intense curiosité.

— Tu es la fille aux secrets, n'est-ce pas, Lou ? On

croit tous les connaître, et tu en gardes toujours un, bien au chaud là !

Il lui planta brusquement l'index sur le front.

— Tu ne m'as pas tout raconté des derniers mots de Cockram. Il t'a confié la formule, ne mens pas !

Effrayée, elle n'osa pas bouger. Penché sur elle, le visage éclairé par les lueurs sinistres de l'incendie, les lèvres retroussées sur ses dents blanches, il ressemblait à un loup enragé.

— C'est grâce à cette formule que tu nous as fait franchir le brouillard ce matin !

Il lui martela le front du doigt en ponctuant chaque mot :

— Je-veux-cette-formule !

Avant qu'elle ait pu répondre, il se retourna, vif comme un fauve, et saisit Barry à la gorge.

— Et sache que je ne suis pas d'humeur à discuter ! La formule, tout de suite ! Ou je lui brise la nuque !

Les yeux exorbités, la bouche ouverte, Barry étouffait. Lou savait qu'elle n'avait pas le choix. Qu'une fois encore Dalglish était le plus fort. Elle fit deux pas en direction de la caisse de plomb.

— Suivez-moi. Je vais prononcer la formule.

— C'est cela. Invitons Barry au spectacle.

Il l'agrippa par les cheveux et le traîna à sa suite.

— Et comme disait Skyrm le borgne : « Pas de coup fourré ! »

Il éclata d'un rire caricatural. Son visage était agité de tics. Elle ne s'était pas trompée. « Un quart de seconde », avait-il dit. Un quart de seconde à entrevoir l'idole, et voilà ce qu'elle avait fait de lui. Il ne se possédait plus. Elle était en train de lui dévorer l'âme. Donc, se dit-elle, terrifiée, il n'a jamais été aussi dangereux…

Elle se plaça devant la caisse de plomb. Dalglish en repoussa sans ménagement le corps sans vie de Skyrm.

— Ôte-toi de là, vermine !

Il n'avait pas lâché Barry. Il gronda :

— Qu'est-ce que tu attends, Lou ? Prononce cette maudite formule ! Que je contemple enfin à loisir ce qui est interdit aux simples mortels !

Lou ferma les yeux, se recueillit un instant et articula à voix basse :

— *Al letno medna itsirc…*

— Plus fort ! Je veux t'entendre ! *Al letno…*

C'est là qu'il commit son erreur. Il se pencha avec une curiosité avide vers le visage de Lou. Dans le mouvement, il desserra son étreinte sur les cheveux de Barry. Celui-ci s'en aperçut instantanément, se dégagea d'un violent coup de tête et s'enfuit.

Dalglish était plongé dans une sorte de transe et ne parut pas s'en rendre compte ou s'en moqua. Il referma le poing sur la nuque de Lou et lui grogna à l'oreille :

— Répète ! Répète la formule !

— *Al letno medna itsirc…*

— *Al letno medna itsirc* ! proféra-t-il.

Triomphant, il la repoussa avec tant de force qu'elle

alla rouler sur le pont. Il saisit le bord du couvercle de plomb et l'ouvrit à la volée.

— Enfin ! s'exclama-t-il en levant les mains vers le ciel. Ma fortune !

— Refermez cette caisse, sir, ou je serai obligé de vous tuer !

Les mains toujours levées à hauteur des épaules, Dalglish se retourna très lentement. Quand il découvrit Barry braquant un pistolet sur lui, il rit.

— Avorton ! Tu es incapable de te servir de cette arme.

— N'en… n'en… n'en soyez pas si sûr, bredouilla le jeune homme.

Sa main tremblait.

— Tout ce que tu sais faire, petit bonhomme, le railla Dalglish, c'est te réfugier dans les jupons de Lou. Cessons cette plaisanterie. Lâche ce pistolet. J'ai mieux à faire. Ma fortune m'attend !

— N'a… n'avancez pas !

Dalglish rit encore et, soudain, comme lorsqu'on joue à effrayer un enfant, il lui fit :

— Bouh !

Or Barry avait une âme d'enfant. Il sursauta de frayeur. Si violemment que son doigt appuya sur la détente. Le coup de feu partit.

Il sut d'instinct qu'il avait raté Dalglish. L'arme avait bougé si fort dans son sursaut que la balle avait dû passer bien trop à gauche de sa cible. Il pensa, très vite, qu'il n'avait plus que quelques secondes à vivre et que ce qu'il regretterait le plus, ce serait l'existence qu'il aurait pu passer auprès de Lou.

Son éternel sourire aux lèvres, Dalglish avança d'un pas, puis d'un second. Barry, pétrifié sur place, s'apprêtait à crier avant de mourir : « Lou, je t'aime ! »

Et puis... le sourire s'effaça du visage de Dalglish. Ses jambes se dérobèrent. Il tomba à quatre pattes aux pieds de Barry, révélant la tache sanglante d'une blessure déchirant sa vareuse sous l'omoplate.

Le jeune homme ne chercha pas à comprendre. Il courut à la rencontre de Lou qui se hâtait de refermer le couvercle de la caisse de plomb. Elle remarqua alors un étrange scintillement sur le sol. Elle s'accroupit.

C'était un diamant jaune.

Elle le serra dans son poing et accueillit avec reconnaissance Barry qui lui tombait dans les bras.

— Bravo, lui dit-elle.

— Je ne comprends pas. J'étais persuadé de l'avoir manqué !

— Peu importe. Le *Cheval des Tempêtes* ne l'a pas raté, lui.

— Quoi ?

Elle lui montra son poing fermé.

— Je vais t'apprendre la formule. Tu vas la répéter trois fois.

Elle la lui apprit, il la répéta trois fois. Alors seulement elle ouvrit les doigts. Il découvrit le merveilleux diamant jaune.

— Sais-tu ce qui s'est passé ? expliqua-t-elle. Ta

balle a touché l'idole. Elle en a arraché ce diamant, a ricoché et a frappé Dalglish dans le dos.

— Eh bien, il n'aura pas échappé à sa vengeance…

— Non. Où est-il ?

Il ne se trouvait plus à l'endroit du pont où il s'était effondré.

— Vite ! s'écria Lou. La chaloupe !

Ils se précipitèrent au bastingage. Ils virent avec soulagement la chaloupe à sa place, arrimée contre la coque du *Black Hawk*. Pas de Dalglish.

— Filons d'ici !

Ils descendirent dans l'embarcation. Pendant que Barry détachait l'amarre, Lou sortit deux lourds avirons. Un peu plus tard, il s'était assis à son côté ; ils souquaient en cadence.

Ils regardèrent s'éloigner lentement – trop lentement, estimaient-ils – l'île en feu et la silhouette du navire. Il leur sembla, pendant quelques instants, distinguer l'ombre d'un homme debout sur la dunette. Peut-être était-ce une illusion, un mirage de la peur.

Ils avaient parcouru environ trois encablures quand un vent violent se leva. Ils en profitèrent pour hisser la petite voile de la chaloupe. L'étrange brouillard encerclant l'île se dissipa rapidement sous les bourrasques, libérant à leurs regards la ligne bleu noir où se rejoignaient la mer et le ciel.

Le vent les poussait à bonne allure. Ils s'aperçurent

bientôt que non seulement il attisait l'incendie de l'île
– s'il en était besoin –, mais qu'il emportait par rafales
des débris brasillants jusqu'au *Black Hawk.*

Il ne fallut pas longtemps pour que le navire prenne
feu comme un fagot. Son artimon puis son grand mât
s'abattirent dans les flammes. Une demi-heure plus
tard, il sombra.

— L'idole est par cinquante pieds de fond, dit
Barry.

— Qu'elle y reste. Et Dalglish avec elle.

Lou prononça ces derniers mots comme pour conju-
rer l'avenir. Car, ainsi qu'elle le dirait quinze jours plus
tard à Barry, alors qu'ils feraient voile vers l'île de la
Tortue :

— Avec un Dalglish, on n'est jamais sûr de rien…

# Ce roman vous a plu ?

★★★☆☆

# Donnez votre avis sur Lecture-Academy.com

DÉCOUVREZ TOUT DE SUITE
UN EXTRAIT DE

# *LOU ARCHER — TOME 2*

## OÙ LES AVENTURES DE LOU SE POURSUIVENT...

# 1
# ZACHARY TROUT

*Au cœur de l'Amérique, automne 1776*

Zachary Trout s'accroupit pour tisonner le feu à l'aide de son couteau de chasse et dit, sans se retourner :

— Je sais que tu es là. Approche dans la lumière. Ne m'oblige pas à aller te débusquer.

Il y avait huit mois qu'il n'avait pas prononcé autant de mots à la fois. Sa voix était basse et sourde comme le grognement d'un ours. Il resta dans la même position, épaules lourdes voûtées, coudes sur les genoux, remuant distraitement la lame du couteau dans les braises, l'oreille aux aguets, épiant dans le crépuscule les bruits de la forêt qui le cernait.

— Qu'est-ce que tu préfères ? Me montrer tout de

suite à quoi tu ressembles, ou bien que je te retrouve demain à moitié dévoré par les loups ?

Il entendit un craquement de brindilles sèches, à quelques enjambées de son dos. Il s'assit sur la souche derrière lui et ne bougea plus. Son instinct lui soufflait qu'il n'avait rien à redouter. Son instinct – et le spectacle atroce qu'il avait vu le matin même, sur une rive du fleuve.

Il se passa quelques instants avant que les pas s'approchent. Zachary Trout ne se retourna pas encore. Il était surpris de la fermeté de ce pas, il s'était attendu à quelque chose d'hésitant, de craintif. C'est cette surprise qui l'obligea finalement à se retourner plus tôt qu'il ne l'avait prévu.

— Je suppose que tu as faim ? dit-il tout en contemplant, des pieds à la tête, l'individu qui se tenait à présent à sa gauche.

Seconde surprise : celui-ci, qui rôdait autour du bivouac depuis près d'une heure, était un très jeune homme. Solide et gracile à la fois. Les cheveux blonds et longs serrés en catogan. De grands yeux bleus. « De fille, se dit Zachary Trout. Ce p'tit gars est joli comme une fille. » En réalité, dans sa vie de trappeur, Zachary Trout n'avait guère croisé de femmes et reconnaissait lui-même qu'il n'y connaissait rien. Il avait d'ailleurs croisé très peu de représentants du genre humain, à part lorsqu'il rencontrait des Indiens dont, après des années passées dans la forêt et la Grande Prairie, il n'était pas convaincu encore qu'ils en faisaient vraiment partie.

Ce p'tit gars était jeune, en tout cas. Dix-huit, vingt ans ? Pour la même raison, il était incapable de donner un âge à quelqu'un, ou seulement dans une large fourchette. Alors, conclut-il, disons qu'il a entre seize et vingt-deux ans.

Il portait une chemise et des culottes de soie en loques (« Comme un vrai milord de la ville ») qui avaient dû être vertes avant de traîner dans la boue et dans Dieu sait quoi. Pourtant, il était chaussé de bonnes bottes – des bottes d'homme faites pour le cheval et pour la marche. C'est ce détail qui l'intrigua.

Comme il ne répondait pas, Trout prit la gamelle de fer-blanc qu'il avait laissé réchauffer sur les braises et la lui tendit.

— Tiens. Je t'ai gardé ça. Je me doutais que je finirais par t'inviter à ma table.

Il prononça ces derniers mots avec un sourire dans sa barbe et en désignant la minuscule clairière où, en fait de table et de sièges, il n'y avait que le feu et la souche sur laquelle il était assis.

Sans timidité ni brusquerie, le garçon se saisit de la gamelle et, sans le quitter des yeux, commença à s'enfourner dans la bouche de grosses cuillerées de haricots. Zachary Trout se leva lentement et lui montra la souche.

— Tu seras mieux assis. La journée a été rude.

Mais, les yeux toujours rivés aux siens, le garçon secoua doucement la tête de droite à gauche : non. Trout n'insista pas. Le p'tit gars se remit à manger, la gamelle sous le menton.

Trout fit deux pas en direction de son cheval. Le garçon recula vivement, se mit en position de défense, les épaules penchées en avant, les pieds bien plantés au sol, le manche de la cuillère brandi comme une arme.

Le trappeur s'arrêta net. Il se frotta pensivement la barbe, puis dit :

— Je vais juste chercher une couverture dans mon paquetage.

Le garçon ne changea pas d'attitude. D'un doigt négligent, Trout désigna la cuillère qu'il tenait comme un poignard.

— Je suis sûr que ce n'est pas avec ça que tu as tué ces deux Indiens, fit-il.

— Comment savez-vous que… ?

Le garçon n'en dit pas davantage. Ses doigts s'ouvrirent, lâchant la cuillère. Il se laissa tomber à genoux. Les lèvres entrouvertes, il tenait la gamelle contre sa poitrine, tel un objet précieux, et ses yeux se mirent à errer, hagards, dans la clairière.

Trout s'approcha jusqu'à un pas, puis s'accroupit et l'observa, cherchant à capter son regard – ce regard qui, l'instant d'avant, ne le lâchait pas.

— Je suis passé près du fleuve, ce matin, dit-il d'une voix douce. J'ai vu le chariot, ou plutôt ce qu'il en restait après l'incendie. J'ai vu aussi les sept… les sept morts. Et les deux Sioux qui ont été tués au couteau.

Le garçon s'était mis à haleter, comme si le souffle

lui manquait. Trout aurait voulu le toucher, pensant qu'un contact humain contribuerait à le rassurer. Mais il devina qu'il était trop tôt pour tenter ce geste, qu'il ne l'accepterait pas.

— J'ai vu des empreintes de bottes, reprit-il. J'ai compris qu'il y avait un survivant et que ce gars était assez courageux et habile pour avoir tué deux Sioux au corps à corps.

Il claqua la langue, puis cracha par terre, avant d'ajouter en désignant du doigt les bottes que portait le garçon :

— Apparemment, ce gars, c'était toi.

Tandis que Trout parlait, d'une voix volontairement basse et lente, le garçon semblait s'apaiser peu à peu. Sa respiration redevint normale. Ses yeux se posèrent sur le large visage mangé de barbe rousse du trappeur.

— Ils ont enlevé Victoria, murmura-t-il d'une voix atone. Il faut que je la retrouve et que je la délivre.

Trout hocha la tête en continuant à l'observer. Il était en état de choc, c'était certain, mais le trappeur trouvait qu'il récupérait sacrément vite pour un p'tit gars habillé de soie.

— J'ai juste une petite question, fit-il. Ne te vexe pas, mais... Mais c'est vraiment toi qui as tué les deux Indiens ?

— Oui.

— Tu es sûr ?

Le garçon haussa les épaules avec agacement.

— Je sais me battre.

Trout ne s'attendait pas à une telle déclaration. Ni d'ailleurs à l'accepter comme une évidence. Ouaip. En dépit de ses habits de milord, de ses yeux de fille et de ses beaux cheveux blonds, il n'y avait aucun doute : il disait la vérité. Il essaya de se le représenter en train de se battre avec deux Sioux, mais l'imagination n'était pas son fort. Surtout si l'un des combattants avait cette allure-là…

Il se redressa et, se tournant à demi dans la direction de son cheval, il demanda :

— Je peux aller chercher cette couverture, maintenant ?

Le garçon lui fit signe que oui. Il se dirigea d'un pas nonchalant près de sa monture, lui flatta l'encolure au passage et sortit d'un grand sac un vieux plaid écossais plein d'accrocs. Quand il se retourna, le garçon s'était assis sur la souche et le fixait des yeux. « Il se méfie encore. Bah ! ça lui passera… »

Il voulait se montrer amical et lui couvrir les épaules avec le plaid, mais à son approche le garçon se dressa sur ses pieds et Trout vit qu'il tenait à la main le couteau de chasse qu'il avait laissé près du feu.

— Tu as peur de moi ? demanda-t-il. Tu n'as pas confiance ?

— Je prends mes précautions.

— D'accord. Tu la veux, cette couverture, ou pas ?

— Lancez-la-moi.

Il obéit. Il remarqua avec quelle vivacité il attrapait le plaid au vol de la main gauche, tout en gardant son côté droit, et le couteau, bien dégagés. Ce p'tit gars n'est pas une mouche qu'on prend avec du vinaigre, songea-t-il, de plus en plus intrigué. Certes, il avait rencontré très peu d'êtres humains dans sa vie, depuis qu'il avait quitté sa mère et ses sœurs, et certainement aucun jeune milord habillé de soie, mais il était certain d'une chose : les p'tits milords ne pouvaient avoir changé à ce point. Celui-là, il était spécial. Trout se dit qu'en fin de compte ses bottes d'homme lui convenaient mieux que la soie verte.

Il le regarda s'emmitoufler dans le plaid et se rasseoir devant les braises. Il hésita un moment, puis déclara :

— Je vais me coucher là-bas, pas loin de mon cheval. Si tu as besoin de quelque chose, tu sais où me trouver.

Comme le garçon ne répondait pas, il commença à s'éloigner. Sans savoir pourquoi, il s'arrêta à mi-chemin et se retourna.

— Tu sais, aucun Blanc dans la région ne connaît mieux les Indiens que moi.

— Vous allez m'aider ?

Il entendit la note d'espoir qui éclairait sa voix. Il en fut heureux.

— Faudra d'abord que tu me racontes ton histoire.

Le garçon baissa brusquement le front et rajusta les pans du plaid autour de son cou. Trout attendit un moment, mais le p'tit gars resta silencieux, fermé.

— Alors, bonne nuit, dit-il. Au fait, moi, c'est Zachary Trout. Zach. Les Sioux m'appellent Barbe Rouge, ajouta-t-il en passant ses doigts dans le poil épais qui dissimulait tout son visage, à part un nez court de bébé et des yeux verts.

S'il espérait que le garçon lui donne son nom en retour, il fut déçu.

Il partit se coucher. Tandis qu'il s'enroulait dans sa couverture et posait la nuque sur sa selle en guise d'oreiller, il se demanda ce qu'un p'tit gars de la haute prenait au petit déjeuner. Il s'imagina une théière à la main, versant du thé avec grâce dans une tasse de porcelaine décorée de fleurs roses. Il s'endormit presque aussitôt et rêva qu'il valsait sous les lustres étincelant d'un grand salon. Mais la fille qu'il tenait dans ses bras ressemblait au p'tit milord, et bientôt se changea en Indien et lui pointa un couteau sous la gorge.

*À suivre…*

QUI SONT CES DEUX MYSTÉRIEUX
PERSONNAGES ?
QUEL RÔLE JOUERONT-ILS DANS LES
AVENTURES DE L'INTRÉPIDE LOU ?

RÉPONSES DANS
*LOU ARCHER – TOME 2*
PROCHAINEMENT EN LIBRAIRIE.

# Pour savoir quand ce titre sera disponible, inscrivez-vous à la newsletter du site
# Lecture-Academy.com